FBI

FÉDÉRATION DES BOVINS INTRÉPIDES

F.B.I.

Titre original :
The Wild West Moo-nster
First published in 2008 in Great Britain by Red Fox,
an imprint of Random House Children's books

Cet ouvrage a été réalisé par les Éditions Milan
avec la collaboration de Sophie Forgeas et Astrid Dumontet.
Maquette : Bruno Douin (couverture)
et Graphicat (intérieur)

300, rue Léon-Joulin – 31101 Toulouse Cedex 9 – France
www.editionsmilan.com
Loi 49-956 du 16.07.1949
sur les publications destinées à la jeunesse.
Dépôt légal : 1er trimestre 2009
ISBN : 978-2-7459-3129-0
Imprimé en Italie par Canale

STEVE COLE

Les meuh-stères de l'Ouest

Illustrations de Dab's
Traduit de l'anglais par Guillaume Le Pennec

MILAN
jeunesse

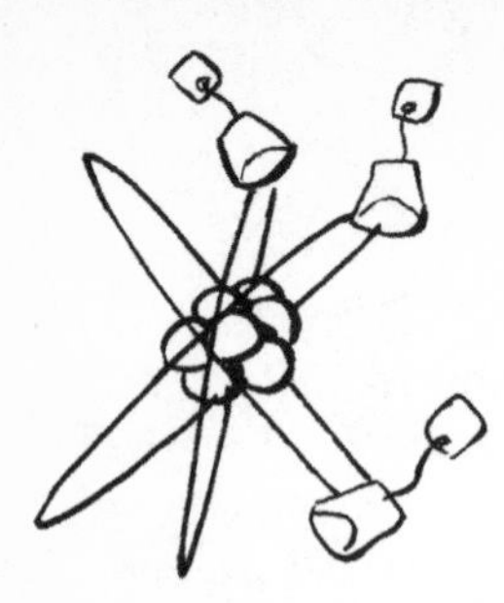

13,7 milliards d'années av. J.-C.
BIG BANG – DÉBUT DE L'UNIVERS
(et création des premiers atomes de thé)

4,6 milliards d'années av. J.-C.
LA PLANÈTE TERRE SE FORME
(c'est du beau boulot)

23 millions d'années av. J.-C.
APPARITION DES PREMIÈRES VACHES
(23 millions est mon chiffre porte-bonheur)

7000 av. J.-C.
PREMIÈRES FERMES DE BÉTAIL
(pas une super année pour les vaches)

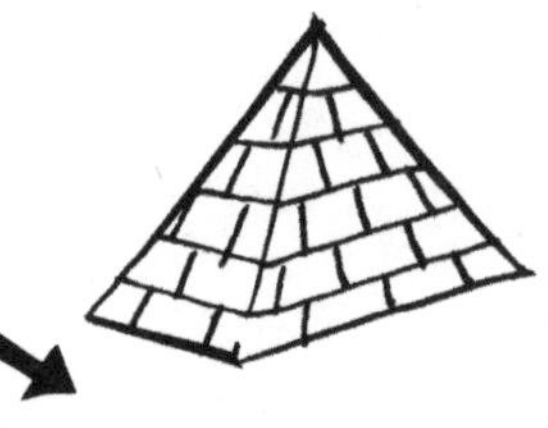

2550 av. J.-C.
CONSTRUCTION DE LA GRANDE PYRAMIDE À GIZEH
(par des Égyptiens agités)

1700 av. J.-C.
SHEN NUNG PRÉPARE LA TOUTE PREMIÈRE TASSE DE THÉ
(quel héros !)

31 av. J.-C.
FONDATION DE L'EMPIRE ROMAIN
(une vache fonde l'empire ro-meuh mais personne ne s'en souvient)

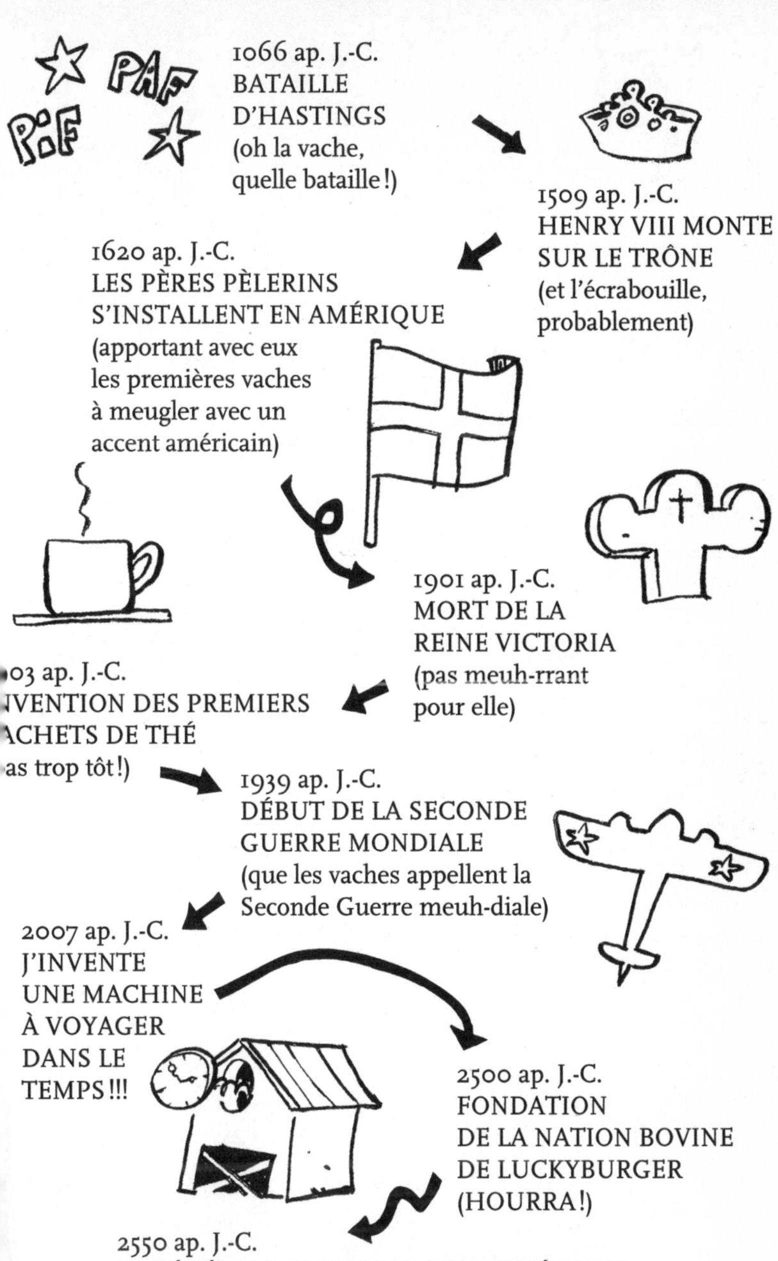
PAF
PIF
1066 ap. J.-C.
BATAILLE
D'HASTINGS
(oh la vache,
quelle bataille !)
1509 ap. J.-C.
HENRY VIII MONTE
SUR LE TRÔNE
(et l'écrabouille,
probablement)
1620 ap. J.-C.
LES PÈRES PÈLERINS
S'INSTALLENT EN AMÉRIQUE
(apportant avec eux
les premières vaches
à meugler avec un
accent américain)
1901 ap. J.-C.
MORT DE LA
REINE VICTORIA
(pas meuh-rrant
pour elle)
03 ap. J.-C.
VENTION DES PREMIERS
CHETS DE THÉ
as trop tôt !)
1939 ap. J.-C.
DÉBUT DE LA SECONDE
GUERRE MONDIALE
(que les vaches appellent la
Seconde Guerre meuh-diale)
2007 ap. J.-C.
J'INVENTE
UNE MACHINE
À VOYAGER
DANS LE
TEMPS !!!
2500 ap. J.-C.
FONDATION
DE LA NATION BOVINE
DE LUCKYBURGER
(HOURRA !)
2550 ap. J.-C.
LA FÉDÉRATION DES BOVINS INTRÉPIDES
(F.B.I.) RECRUTE LE PROFESSEUR McMEUH,
PAT ET BO (que la fête commence !)

Pour Tom Whone
S. C.

Chapitre 1

Une mission sauvage

C'était une nouvelle journée tranquille et ensoleillée à la ferme bio des Barmer. Pat Vine, un jeune bœuf, était assis dans un champ en compagnie de sa sœur, Petite Bo.

La plupart des animaux de la ferme se seraient contentés de mâcher de l'herbe et de paresser au soleil.

Mais Pat et Bo n'étaient pas des animaux ordinaires.

– Strike ! s'exclama Pat en renversant dix branchettes à l'aide d'une vieille balle de tennis. Hé, Bo ! Je me suis encore battu moi-même au *bowling* à dix quilles !

– Pourquoi tu ne me laisses pas plutôt te battre à coups de sabots ? suggéra Bo qui faisait des bulles de chewing-gum tout en teignant ses mamelles d'un rouge vif. J'ai toujours besoin d'un bon *punching-ball* pour m'entraîner !

Pat leva les yeux au ciel. Sa sœur ne s'intéressait qu'à la mode et à la bagarre. Le jeune bœuf, lui, préférait les énigmes et les problèmes à résoudre par la réflexion. Tous deux faisaient partie d'une espèce de vaches très rare du nom d'Emssé Okaré, aussi intelligentes que des humains.

– Hé, tous les deux ! leur lança une voix amicale.

Pat se retourna pour voir un grand taureau à la robe brune et blanche sauter par-dessus la clôture, un tournevis dans un sabot et un petit appareil électronique dans l'autre. Une paire de lunettes était perchée sur son museau et il leur faisait un grand sourire à tous les deux.

C'était le professeur Angus McMeuh, le plus intelligent de tous les Emssé Okaré : un inventeur, un génie, mais aussi un extraordinaire amateur de thé !

Pat sourit en retour.

– Bonjour, Professeur. Qu'est-ce que vous bricolez ?

– Dites « ouistiti », répondit McMeuh.

– Ouistiti, dit immédiatement Pat.

– Pourquoi ? grogna Bo en faisant une bulle de chewing-gum.

– Parce que je viens d'inventer un mini-appareil qui fait des photos grandeur nature et que je veux l'essayer ! (McMeuh leur présenta sa création argentée.) Allez, soyez gentils, dites « ouistiti » !

Un bruit terrible se fit soudain entendre. Cela faisait penser à un rhinocéros géant avec un mégaphone coincé dans la gorge :

– YIIIIII-HAAAAAAAA !

McMeuh fronça les sourcils et abaissa son appareil photo.

– On est très loin de « ouistiti » !

Petite Bo avait bondi à travers les airs, éclaboussant Pat de peinture rouge.

– Qu'est-ce que c'était que ça ?

– Oh, oh. (Pat détourna son museau tandis qu'une large silhouette bedonnante faisait son apparition au sommet de la colline.) C'est... Bessie Barmer !

McMeuh mit de côté son appareil.

– Je ne vais certainement pas la prendre en photo. Ça risquerait de casser l'objectif !

Bessie était la femme du fermier, une horrible mégère. Elle détestait tous les animaux et n'avait qu'une envie : les envoyer au plus vite chez le boucher. Mais aujourd'hui, son visage malveillant était déformé par un affreux sourire édenté. Elle se lança dans une danse des plus bizarres qui fit trembler la terre.

– Qu'est-ce qui cloche chez cette femme ? se demanda McMeuh.

Bo fit la moue.

– La liste est longue ! dit-elle.

– Waouh ! s'écria Bessie en s'avançant lourdement en direction des vaches, qui remarquèrent ses vêtements boueux. Regardez-moi ça, espèces de grosses bestioles profiteuses ! (Elle secoua son poing massif et Pat vit qu'elle tenait quelque chose de brillant au creux de la paume.) Je suis RICHE ! J'étais en train de creuser un fossé à mains nues, quand soudain... j'ai trouvé de l'OR !

– De l'or ! s'étonna Pat. (Mais aux oreilles des humains, cela sonnait comme un simple « meuuuh », de même que toutes les autres conversations entre bovins.)

– Ben ça ! grogna Bo. Pourquoi cette vieille truie à la tête fripée a-t-elle autant de chance ?

Bessie leur décocha un sourire méchant.

– Maintenant, je vais pouvoir tous vous envoyer chez le boucher et transformer cette ferme en mine d'or ! Je suis RI-I-ICHE !

Et elle repartit, non sans lancer un nouveau « Yi-haaaa ! » sonore.

La gorge serrée, Pat demanda :

– Vous croyez qu'elle est sérieuse à propos de la ferme, Professeur ?

Au même instant, un son électronique aigu leur parvint depuis la vieille étable de McMeuh dans le champ d'à côté.

– Oublions cette cinglée de Barmer ! s'exclama le taureau en regagnant l'étable au galop. Ce signal... il vient de la F.B.I. !

Bo poussa un cri de joie et se mit à courir derrière lui. Pat la suivit aussitôt. Jusqu'à récemment, Bessie Barmer était leur seul et unique problème. Mais ils avaient depuis peu été recrutés au sein d'une équipe de choc de vaches commandos venues du futur, la F.B.I. (un raccourci pour Fédération des Bovins Intrépides). Leur vie était soudain devenue bien plus dangereuse. Et tout cela avait commencé le jour où le professeur McMeuh avait révélé à ses jeunes amis la plus incroyable de ses inventions : il avait transformé son étable en machine à voyager dans le temps !

– S'agit-il d'un signal envoyé à travers le temps, Professeur ? demanda Pat, arrivé dans l'étable.

– Depuis le vingt-sixième siècle, sur une fréquence spéciale réservée aux vaches, confirma McMeuh. Cela signifie que la F.B.I. est en alerte yaourt.

– Alerte yaourt ? répéta Bo. Qu'est-ce que c'est que ça ?

– C'est comme une alerte rouge, expliqua McMeuh en passant vivement les portes de l'étable. Mais en plus crémeux et meilleur pour la santé.

– Les C.I.A. doivent encore causer des problèmes, devina Pat, l'air sombre.

Il entra le dernier et referma les portes. C.I.A. signifiait « Cornes Impitoyables et Abominables » et désignait les ennemis jurés de la F.B.I. Ces taureaux futuristes et furieux disposaient de leurs propres machines à voyager dans le temps et ils essayaient sans cesse de modifier le cours de l'Histoire pour prendre le contrôle du monde.

Le professeur tira sur le grand levier de bronze qui transformait l'étable miteuse en incroyable véhicule temporel. Avec moult cliquetis métalliques, les murs de bois pivotèrent pour révéler des panneaux de commandes plein de boutons et d'interrupteurs. Des cordons et des câbles s'abaissèrent de la toiture en un clin d'œil, et une énorme console en forme de fer à cheval jaillit du sol. Une grande armoire complétée par une cabine d'essayage s'éleva dans le fond de l'étable. Elle était remplie à craquer de vêtements de toutes les époques, de la préhistoire à la conquête spatiale.

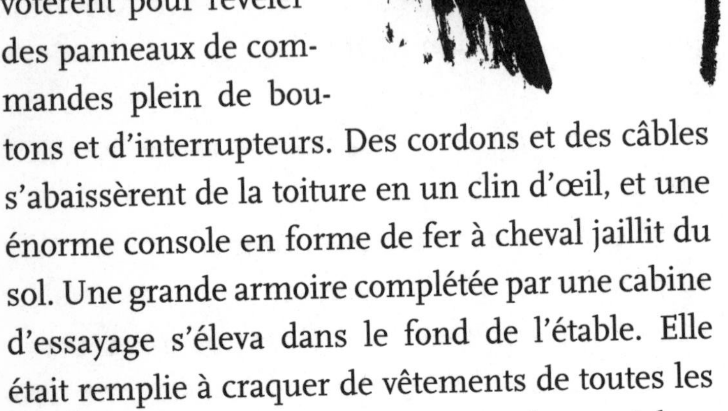

Mais pour le moment, Pat se concentrait sur le grand écran qui venait de descendre du toit. Il laissait voir un taureau noir à l'air sévère doté de cornes impressionnantes et d'une paire de lunettes noires. À ses côtés se tenait une vache aussi grosse qu'âgée, aux mamelles gigantesques, et qui leur souriait avec gentillesse.

– C'est Yak, le directeur de la F.B.I., réalisa Pat.

– Et sa patronne, Madame Ventralait troisième du nom, ajouta McMeuh en s'inclinant immédiatement.

En l'an 2550, cette imposante vache régnait avec bienveillance sur tous les bovins.

– Salut Yak et Ventra ! lança Bo en souriant à l'écran. Vous avez quelque chose en travers de la gorge ?

– Une bonne tasse de thé, voilà qui ferait du bien à toutes les gorges encombrées, lança McMeuh avec un regard entendu vers son amie.

Mais Bo se contenta de croiser les pattes et de faire une nouvelle bulle de chewing-gum. Ce fut donc Pat qui se dépêcha de préparer la bouilloire.

– Salutations, chers amis, leur dit Madame Ventralait de sa voix légèrement snob. Vous portez-vous tous bien ?

– Nous sommes un peu inquiets, admit Pat. Savez-vous si cette ferme sera un jour transformée en mine d'or ?

Yak fronça les sourcils.

– Nous enquêterons là-dessus, promit-il. Mais nous rencontrons actuellement un vrai problème, mes amis. D'après un rapport top secret, les C.I.A. ont envoyé des ter-meuh-nators dans le passé, en direction du Far West américain…

Malgré la chaleur de la bouilloire, Pat frissonna à la simple pensée des ter-meuh-nators. Ils constituaient les agents les plus féroces des C.I.A. : 50 % robot, 50 % taureau et 100 % impitoyables.

– Leur piste à travers le temps semble mener en 1875, ajouta Madame Ventralait.

– Fantastique ! s'exclama McMeuh. C'est l'époque de cow-boys de légende tels que Wyatt Earp et Jesse James, ou encore Calamity Jane et Buffalo Bill !

– Des cow-boys, hein ? (Bo fit gicler un peu de lait dans le seau de thé que Pat était en train de préparer.) On pourra traîner avec eux, Professeur ?

– Je l'espère bien ! répondit McMeuh d'un air réjoui. De vrais cow-boys, vous imaginez ça ?!

Pat remarqua que Yak s'assombrissait. McMeuh adorait l'histoire : c'était la raison principale pour laquelle il avait fabriqué l'Étable Temporelle, en utilisant des pièces trouvées dans les poubelles d'un savant. Il avait donc parfois tendance à agir comme un touriste plutôt qu'en agent de la F.B.I. !

Pat tendit le seau de thé à son mentor.

– Heu... Peut-être que Yak n'a pas spécialement envie que nous passions du temps avec les cowboys... ?

– C'est exact, lança Yak. Nous ne savons pas ce que les C.I.A. préparent au Far West, mais nos espions ont des raisons de penser que leur plan est monstrueux...

– De plus, ajouta Madame Ventralait, mon arrière-arrière-arrière-plus-cent-cinquante-arrière-arrière-grand-mère vivait au Far West en 1875...

Alarmé, McMeuh manqua de s'étouffer avec son thé.

– Mais si des ter-meuh-nators s'y rendent et l'écrabouillent... cela signifiera que vous ne serez jamais née !

Madame Ventralait hocha la tête avec gravité.

– Ce qui voudra également dire que je ne fonderai jamais la F.B.I.

– Et si vous ne la créez pas, aucun d'entre nous ne sera ici en ce moment ! (Pat en avait le tournis.) Par tous les foins, le futur sera complètement bouleversé !

– Assez de blabla, gémit Bo. Je veux de l'action !

– Tu vas en avoir, la rassura McMeuh. (Après avoir vidé le seau de thé, il actionna des interrupteurs et tira sur des leviers.) Nous devons partir immédiatement vers l'Ouest sauvage pour arrêter les C.I.A. et pour que l'Histoire ne soit pas chamboulée. Il n'y a pas une seconde à perdre !

Chapitre 2

Les voleurs de bétail

Dans une explosion de lumière violette, l'Étable Temporelle apparut soudain dans le Far West de 1875. Pat et Bo ouvrirent les portes et poussèrent un cri de surprise en découvrant la vaste plaine qui s'ouvrait devant eux. La terre était brune et poussiéreuse. Le soleil était bas dans le ciel au-dessus des rochers rougeâtres qui formaient l'horizon. Quelques cactus montaient la garde ici et là, comme autant de soldats verts.

– Je n'ai jamais vu un espace aussi vaste de toute ma vie ! souffla Pat en regardant autour de lui, l'air stupéfait. Professeur, est-ce que des vaches vivaient vraiment ici ?

– Oh que oui, lui cria McMeuh, occupé à fouiller dans l'armoire à costumes de l'Étable Temporelle. Ordinateur, donne-nous des informations sur le Far West.

Du texte apparut sur le grand écran suspendu aux poutres :

++LE FAR WEST, OU L'OUEST SAUVAGE. ++VASTE TERRITOIRE D'AMÉRIQUE DU NORD ENTRE 1860 ET 1900, PAS ENCORE OCCUPÉ PAR LA POPULATION DES COLONS. ++CHASSEURS, COW-BOYS, SOLDATS ET OUVRIERS DES CHEMINS DE FER FURENT LES PREMIERS À S'Y INSTALLER ET À PRENDRE POSSESSION DE CES TERRES SAUVAGES. ++AINSI QUE BEAUCOUP, BEAUCOUP DE VACHES! ++COMME IL Y AVAIT PEU D'HERBE, LE BÉTAIL ÉTAIT LIBRE DE SE PROMENER DANS LA PRAIRIE. ++PUIS, CHAQUE ANNÉE, LES BOVINS ÉTAIENT RASSEMBLÉS PAR LES COW-BOYS DU RANCH LOCAL ET CONDUITS JUSQU'AU MARCHÉ.

– Moi, je dirais aux cow-boys de se tirer, déclara Bo en sortant respirer le grand air. Quelle vue ! C'est magnifique !

Pat hocha la tête et la suivit. Comparée aux petits champs de la ferme Barmer, la prairie était immense.

– L'arrière-arrière-arrière-plus-cent-cinquante-arrière-arrière-grand-mère de Madame Ventralait avait de la chance de vivre dans un endroit pareil ! affirma Pat.

Mais l'instant d'après, un lasso se referma autour de son cou. La corde se resserra d'un coup et le jeune bœuf commença à s'étrangler, puis tomba à genoux.

– Erk ! réussit-il à dire.

Bo fit volte-face. Deux cavaliers à l'air mauvais venaient d'apparaître au sommet d'une colline rocheuse. Ils portaient des chapeaux de cow-boy et des foulards rouges. Le premier tenait la corde qui étranglait Pat. Le second, dont les vêtements étaient aussi noirs que sa barbe, lança son lasso vers Bo.

Celle-ci fit vivement un pas de côté et agrippa la corde. Puis elle tira dessus, si fort qu'elle fit tomber l'homme de son cheval. Il atterrit dans la poussière avec un bruit sourd.

– Bien joué, Bo ! hoqueta Pat.

Mais sa sœur n'en avait pas terminé avec l'individu en question. Elle saisit fermement la corde et se mit à projeter le cow-boy d'un côté puis de l'autre... avant de lâcher prise ! Il percuta son compagnon, qui chuta en arrière et atterrit sur un cactus plein d'épines.

– Aïïïïïïe ! hurla-t-il, en lâchant son lasso.

Pat se libéra rapidement.

– Que se passe-t-il ici ? demanda le professeur McMeuh en sortant avec précipitation de l'Étable Temporelle.

Tournant la tête, Pat découvrit le Professeur habillé d'une chemise à carreaux, d'un gilet et de pantalons à franges. Il avait un chapeau de cowboy sur la tête et un anneau d'argent dans le nez. Il s'agissait d'un anneaunyme, une invention géniale de la F.B.I., qui projetait une illusion donnant aux vaches une apparence humaine et traduisait toutes les langues.

– Eh bien ? Qu'est-ce que vous faites là, tous les deux, à essayer de voler mes vaches de concours ?

Le barbu tourna vers lui un regard inquiet, convaincu que McMeuh était un homme.

– Ouais, bon..., commença-t-il d'une voix traînante. On a cru que ces deux-là étaient des vaches égarées, hein, Jim Bob ?

– Tu l'as dit, Henry, répondit immédiatement Jim Bob. (Il était en train d'arracher les épines qui s'étaient enfoncées dans son derrière.) Si on avait su que vous les aviez dressées à l'attaque !

– Ne jouez pas les innocents avec moi, lança McMeuh. Vous êtes des voleurs de bétail, n'est-ce pas ?

– Qu'est-ce que c'est que ça ? se demanda Pat.

– Des gens qui volent les vaches des propriétaires de ranchs, lui expliqua le Professeur à mi-voix.

Jim Bob se tourna vers McMeuh.

– Écoutez, monsieur, vous feriez mieux de nous laisser emmener vos vaches plutôt que de les laisser seules ici. (Le voleur baissa la voix.) Elles risqueraient de tomber… sur le monstre !

– Le monstre ? (McMeuh fronça les sourcils.) Quel monstre ?

– Mais le Monstre Cornu, évidemment ! s'écria Henry. Cet horrible truc dévore tous les bovins du coin.

– Il va nous ruiner ! gémit Jim Bob. Les bisons, les bœufs, les taureaux… il n'est pas difficile, il les avale tous ! Il a causé la faillite de plusieurs ranchs. La plupart des gens ont dû vendre leurs terres et déménager.

– À quoi ressemble ce monstre ? demanda McMeuh.

– Rares sont ceux à l'avoir vu de près, répondit Henri avec gravité. Il déclenche une tempête à chaque fois qu'il apparaît. Mais il est sûrement très gros : il dévore des troupeaux entiers de bétail et ne laisse rien derrière lui.

– Alors il devrait être facile à pister, dit McMeuh d'un air songeur.

– C'est sûr ! s'exclama Pat. Imaginez la taille de ses crottes !

– Et leur odeur ! ajouta Bo en frissonnant.

– D'après Yak, les C.I.A. travaillaient sur un plan monstrueux, leur rappela McMeuh. Mais peut-être qu'il s'agit d'un plan impliquant un monstre... Il faut trouver cette créature !

– Monsieur, on a l'impression que vous discutez avec ces vaches ! (Jim Bob avait l'air perplexe.) Et de quoi diable est-ce que vous parlez ? Si vous avez prévu de vous lancer à la poursuite de cette chose, autant nous donner tout de suite vos têtes de bétail... car vous ne les reverrez jamais !

– Ils essaient de nous faire peur, c'est tout, affirma Bo.

Mais Pat, qui fixait la pente sablonneuse derrière elle, se mit à trembler.

– Ils ont réussi, murmura-t-il. Regardez !

Un étrange éclat verdâtre était en train d'envahir le sommet de la colline rocheuse. Puis, avec un

rugissement aussi terrifiant qu'assourdissant, une silhouette monstrueuse fit son apparition. Deux cornes gigantesques surmontaient une tête de la taille d'une étable. Ses yeux blancs brillaient aussi vivement que des phares. Une pâte visqueuse s'écoulait de son large museau porcin jusque dans son énorme gueule garnie de crocs géants, semblables à des stalactites et stalagmites.

– C'est le Monstre Cornu ! cria Jim Bob. Il en a après nous !

Henry gémit de terreur.

– On est fichus !

Les vaches ouvrirent de grands yeux horrifiés tandis que le monstre menaçant approchait...

Chapitre 3

La petite folie dans la prairie

– Moi, je me tire ! lança Jim Bob.

Terrorisé, il grimpa à l'envers sur son cheval et s'agrippa de son mieux à l'animal qui s'enfuit au galop.

– Trouillard ! lui cria Bo.

Le cheval de Henry détala à son tour. Désespéré, le voleur l'attrapa à l'aide de son lasso... et fut emporté avec lui ! Il se retrouva bien vite traîné au sol, soulevant une épaisse couche de poussière dans son sillage.

– Peut-être que s'enfuir ne serait pas une si mauvaise idée, déclara nerveusement Pat tandis que la bête s'approchait en grondant.

– Si cette chose mange les vaches, je vais lui donner une grosse indigestion ! déclara Bo...

Et elle chargea droit vers le Monstre Cornu !

– Reviens, Bo ! cria McMeuh. (Pat et lui se lancèrent à la poursuite de la vache téméraire.) Quoi que cette créature puisse être, nous devons l'étudier avec soin !

– Vous l'étudierez quand je l'aurai assommée, proposa Bo.

Mais alors qu'elle approchait du mystérieux monstre, une rafale de vent plein de sable l'aveugla. Toussant et crachant, Bo continua péniblement d'avancer. Le vent devint de plus en plus fort, jusqu'à se transformer en une véritable tempête de sable. Paniquée, Bo réalisa que ses sabots ne touchaient plus terre !

Heureusement, Pat et le professeur agrippèrent chacun l'une de ses pattes et lui firent redescendre la pente... comme si leur amie était un cerf-volant !

Le vent finit enfin par se calmer et la jeune vache s'écroula pesamment au sol.

– Pourquoi m'avez-vous arrêtée ? grommela-t-elle. J'étais à un demi-sabot de faire la peau à ce monstre !

– Je ne crois pas, Bo. (McMeuh désigna quelque chose au loin : un petit nuage de poussière était poursuivi par un autre, bien plus gros.) On dirait que le monstre a été distrait par les traces que Henry, le voleur de bétail, a laissées sur la plaine.

– Bien sûr ! dit Pat en hochant la tête. Il a dû penser que la piste de Henry était celle de bovins en fuite et il a décidé de le poursuivre.

– Mais il va trop vite pour qu'on le rattrape, maintenant ! se plaignit Bo. Ah, chapeau !

– En parlant de chapeau, vous devriez peut-être en mettre un, déclara McMeuh en tirant de sa poche deux anneaunymes. Il est temps pour vous de vous déguiser en humain, comme moi.

Pat hocha la tête.

– Entre les voleurs de bétail et les monstres, on dirait que les vaches sont la cible de tout le monde par ici. Plus tôt nous aurons l'air d'humains, mieux ce sera !

De mauvaise grâce, Bo suivit Pat dans l'Étable Temporelle pour se changer. Elle enfila une perruque et une longue robe de soie verte à volants. Pat se vêtit d'un pantalon marron et d'une chemise à carreaux bleus, avant de passer un chapeau de cowboy.

Après quoi Bo et lui se regardèrent dans le miroir spécial de l'Étable Temporelle, qui reflétait leur apparence humaine.

– Regardez-moi ! lança Pat, qui ressemblait à un jeune ouvrier de ferme. C'est tout à fait moi : vache et garçon, donc garçon vacher !

– Ce look est nul ! gémit Bo, visiblement peu inspirée par sa perruque de cheveux roux en chignon. Je ne pourrais pas déchirer un peu cette robe, la graffiter en rose et la porter avec un sac en peau de crocodile ?

– Non, répondit catégoriquement McMeuh. Nous devons nous fondre dans le décor, et pas nous faire remarquer comme... ah.

– Comme « ah » ? (Bo fronça les sourcils.) Qu'est-ce que ça veut dire ?

– Ça veut dire que nous avons de la compagnie ! lui souffla son frère.

À l'instar du professeur, Pat venait de remarquer l'homme vieux et rabougri qui se tenait dans l'embrasure de la porte. Il était entièrement recouvert de poussière, de ses vieilles bottes de cuir jusqu'à la pointe de ses cheveux et de sa barbe broussailleuse.

– Où suis-je ? demanda le vieillard. (Il tenta de nettoyer ses lunettes rondes sur la manche de sa chemise, mais ne fit que les salir un peu plus.) Quel est cet endroit ?

Pour éviter que leur grand secret ne soit découvert, Pat tira rapidement sur le levier qui transformait l'Étable Temporelle en grange ordinaire. À grand renfort de bruits métalliques, les commandes disparurent au sein des murs et du sol.

Le vieil homme scrutait les lieux à la manière d'une taupe tout à fait myope.

– Bon sang de bois, qu'est-ce que c'était que ce vacarme ?

– Heu, c'est juste le plancher qui grince, expliqua vivement Pat.

– Ceci est ma ferme, expliqua le professeur. Je m'appelle McMeuh, et voici mes employés, Pat et Bo.

– Eh bien, on m'appelle le Vieux Josh Hosh, répondit le vieil homme. J'étais en chemin vers la ville lorsqu'une satanée tempête de sable m'a pratiquement enseveli et a fait fuir mon cheval...

Pat jeta un coup d'œil vers McMeuh.

– On dirait qu'eux aussi ont croisé le Monstre Cornu...

– Ne me parlez pas du Monstre Cornu ! s'exclama Josh Hosh. Je déteste cette sale bête !

Il frappa le sol du pied, puis se mit à tousser au milieu du nuage de poussière qu'il venait de créer.

– Venez par ici, l'ancien, lui proposa Bo.

Avec une douceur inattendue, elle l'épousseta et nettoya les verres de ses lunettes avec sa langue baveuse avant de recracher la poussière.

– Eh ben, merci mam'zelle ! dit Josh en plissant les yeux derrière ses verres épais. Ça fait longtemps que vous vivez là, vous tous ?

McMeuh se racla la gorge.

– Heu... Non, pas très.

– Mais bon, vous avez construit une maison, continua Josh. Et d'après la loi, si vous vivez ici pendant quelques années, ces terres seront à vous, sans rien à payer.

– Ah oui ! sourit le professeur. La loi Homestead, votée en 1862 !

Pat contemplait les mini-montagnes de poussière aux pieds de Josh.

– Je crois qu'il a apporté le gros de la terre avec lui !

– J'aurais mieux fait de me construire une petite grange agréable et facile à entretenir comme celle-ci, reprit Josh en soupirant. Je suis un mineur, et j'ai découvert un gisement d'argent à quelques kilomètres d'ici. J'ai dépensé jusqu'à mon dernier sou pour embaucher des ouvriers afin de creuser des tunnels et des puits. J'étais prêt à me faire une petite fortune en exploitant la mine. Mais alors... (Il serra ses poings ridés.) Ce monstre est arrivé et a attaqué mes hommes ! Il leur a fait tellement peur qu'ils ne sont jamais revenus !

– C'est pour ça que vous allez en ville ? demanda Pat. Pour trouver d'autres ouvriers ?

– Non. Personne ne vient plus ici, sauf les gens un peu fous dans votre genre. (Josh se redressa.) Alors je vais vendre ma mine, puis je quitterai ce satané pays. (Il renifla.) Chassé de chez moi par le Monstre Cornu, comme tous les autres.

McMeuh hocha la tête.

– Eh bien, si cela ne vous dérange pas, Vieux Josh, je pense que nous allons vous accompagner.

Pat cligna des yeux, surpris.

– Vraiment ?

– Tu crois que je vais manquer l'occasion de voir une authentique ville du Far West ? (Le regard du Professeur brillait.) Et puis, tu as entendu Josh : il n'y a plus personne dans la plaine. Si nous voulons en savoir plus, la ville la plus proche semble être la meilleure source d'informations. Alors galopons jusque là-bas... (Il redressa son chapeau.) À la façon des cow-boys !

Chapitre 4

Danger à Dodgem

La ville de Dodgem se trouvait à deux heures de marche de là. Le temps que McMeuh et ses amis y parviennent, la nuit avait largement eu le temps de tomber.

Pat secoua ses sabots endoloris.

– Je suis soulagé que le monstre nous ait laissé tranquilles.

– Tranquille, c'est le bon mot, commenta Bo.

Elle scrutait la rue sombre et poussiéreuse, bordée de grands bâtiments en bois qui faisaient penser à des pierres tombales. Tous les poteaux d'attache prévus pour y laisser les chevaux étaient vides.

– Où sont les gens ? reprit la jeune vache.

Vieux Josh soupira.

– Comme je vous l'ai dit, mam'zelle… la plupart des gens sont partis pour vivre loin du monstre.

– Alors comment allez-vous vendre votre mine ? demanda McMeuh.

– On m'a raconté qu'il y a ici une personne assez riche et assez cupide pour me la racheter, expliqua le Vieux Josh. Elle habite au-dessus du saloon de l'Avant-dernière chance, dans la grand-rue, et elle s'appelle Gessé Bé.

– Gessé Bé ? se moqua Bo. Drôle de nom !

– Les gens affirment qu'elle est vraiment méchante, ajouta nerveusement le Vieux Josh. Mais je suis de toute façon bien obligé de m'adresser à elle.

Ils traversèrent les allées désertes de la ville jusqu'à la grand-rue. On y trouvait des échoppes et des magasins, ainsi que plusieurs saloons, dont certains éclairés. Les notes d'un piano mêlées à des éclats de voix flottaient dans l'air nocturne.

– Des signes de vie, enfin ! s'exclama Pat.

Comme pour illustrer ses paroles, un cow-boy traversa violemment les portes battantes d'un saloon tout proche et atterrit pile à ses pieds.

Bo fit la moue.

– Peut-être que le mot « vie » est un peu fort !

Pat et McMeuh aidèrent le cow-boy à se relever. Il s'éloigna rapidement d'un pas chancelant en direction du bar, de l'autre côté de la rue. Quelques instants plus tard, un homme aux cheveux noirs armé d'un pistolet sortit du saloon et s'approcha du professeur McMeuh.

– C'est le shérif, chuchota Josh. Il fait respecter la loi dans le coin.

– Alors... (Le shérif contemplait gravement McMeuh.) Un étranger, hein ?

– Pas aussi étrange que certains ! répondit le taureau avec un sourire. Nous nous rendons au saloon de l'Avant-dernière chance.

Le shérif se renfrogna.

– Vous avez des armes ?

– Sûrement pas ! s'écria Pat.

– Alors vous feriez mieux de prendre ça, dit le shérif en tendant un pistolet à Pat. L'ambiance est rude là-bas !

Au même moment, deux autres cow-boys passèrent à travers une fenêtre plus bas dans la rue.

– Voilà le saloon que vous cherchez, ajouta le shérif avant de leur tourner le dos. Bonne chance !

Soudain, McMeuh réalisa que les seules autres boutiques ouvertes étaient un magasin de réparation de fenêtres et un croque-mort !

– Heu, vous ne pourriez pas venir avec nous ? demanda-t-il.

– Vous plaisantez ! (Le shérif éclata de rire en s'éloignant.) Je ne suis pas fou !

– Il a peur d'aller là-bas, réalisa Bo en se frottant les sabots de joie. Je sens qu'on va bien s'amuser !

– Nous allons visiter un véritable saloon du Far West ! renchérit McMeuh. Imaginez un peu !

– Je ne suis pas sûr d'en avoir envie, répliqua Pat pendant que le Vieux Josh les conduisait à l'intérieur...

Le saloon était constitué d'une grande salle surchauffée qui sentait la sueur et la poudre. Au fond se trouvait un escalier défraîchi qui menait à un balcon cassé. Des ventilateurs suspendus au plafond tournoyaient mollement pour tenter de rafraîchir les clients. Certains discutaient, assis aux tables ; d'autres étaient allongés à même le plancher crasseux. Tout le monde semblait malheureux. Certains cow-boys avaient même les larmes aux yeux.

– J'ai perdu toutes mes vaches, déclara l'un d'eux, l'air dépité.

– Moi aussi, dit un autre en se mouchant.

Il saisit un banjo, se racla la gorge, puis se mit à chanter une complainte empreinte de tristesse :

« Tu me manques, chère vache !
C'que tu me manques, la vache !
Je grelotte, je tremble et je frissonne.
Même tes bouses me manquent
Comme tes sabots, et ta queue,
Tes mamelles, ton museau et tes cornes ! »

– Pathétique ! s'exclama bruyamment Bo.

– Chut ! lui dit Pat. Ou il va se remettre à pleurer !

Josh se dirigea vers le barman, un grand maigre qui servait les consommations.

– Bonsoir, dit-il. Je suis venu voir Gessé Bé.

D'un seul coup, le saloon entier devint silencieux et tous les regards se tournèrent vers lui.

Les yeux du barman s'étrécirent.

– Vous êtes sûr de vouloir rencontrer Gessé Bé ?

– Heu... oui, répondit Josh. Je veux lui vendre ma mine d'argent.

– Gessé Bé n'achète rien, lança d'une voix rauque un vieillard doté d'une barbe de la taille d'un blaireau. Elle gagne les choses. J'ai essayé de lui vendre ma mine d'or. Mais elle m'a forcé à la miser et à la perdre en jouant à un jeu de cartes.

– Quel jeu ? voulut savoir McMeuh.

– Le *snap*, répondit un individu à l'air dépité assis dans une flaque dégoûtante. C'est la meilleure joueuse de *snap* du monde ! Elle m'a battu sans mal et a remporté ma mine de cuivre.

– Elle a gagné mon ranch, gémit un cow-boy maussade.

– Et toutes mes terres, pleurnicha un autre. Elle ne perd jamais.

Pat semblait perplexe.

– Mais pourquoi voudrait-elle remporter les terres, les mines et le reste de ce qui appartient aux gens du coin ? questionna-t-il. Elle n'a pas peur du Monstre Cornu ?

– Elle n'a peur de rien ni de personne, déclara le barman en désignant l'escalier au fond du saloon. Et la voilà qui arrive !

Le saloon se fit plus silencieux encore. McMeuh, Pat et Bo tournèrent la tête… et durent retenir un cri de surprise.

Une grosse femme vêtue de pantalons de cuir à franges et d'un large gilet descendait lourdement les marches. Elle avait un chapeau de cow-boy vissé sur le crâne, et son visage porcin affichait une expression renfrognée et féroce.

– C'est Gessé Bé ? demanda Pat en clignant des yeux. Mais… c'est le portrait craché de Bessie Barmer, à la ferme !

– Ce doit être l'une de ses affreuses ancêtres, grogna Bo. On en rencontre partout où on va !

– Oubliez la parente de Bessie, siffla McMeuh. Regardez plutôt qui descend l'escalier derrière elle !

Aux yeux des clients du saloon, les deux silhouettes massives derrière Gessé avaient l'air de grands cow-boys durs à cuire. Mais leur déguisement ne trompait pas McMeuh et ses amis.

Les trois agents se cachèrent prestement derrière le bar, car les deux individus descendant l'escalier d'un pas mécanique possédaient des yeux verts lumineux, des sabots bioniques et des cornes en métal.

C'étaient tous les deux des ter-meuh-nators !

Chapitre 5

Des cartes et de la casse

– Eh bien, murmura McMeuh en jetant un coup d'œil par-dessus le bar. On dirait qu'une autre Barmer travaille pour les C.I.A. !

La grosse femme scrutait le saloon silencieux de son regard noir.

– Je m'appelle Barmer. Grosse-Culotte Barmer.

– Je croyais qu'elle s'appelait Gessé ? s'étonna Pat.

– Josh pensait que son nom était Gessé Bé, souffla le professeur. Mais il s'agit juste de ses initiales : G-C B !

Tout tremblant, le Vieux Josh s'avança vers elle.

– Je voudrais vous vendre ma mine d'argent, madame Barmer.

– Ne m'appelle pas madame ! cria Grosse-Culotte. (Elle dégaina un pistolet et fit voler le chapeau de

Josh d'une balle bien placée.) Je ne suis la dame de personne !

– D-d-d-désolé, Grosse-Culotte, répondit Josh en ramassant son chapeau. Mais, je vous en prie, ne voulez-vous pas racheter ma mine ? Elle se trouve à l'ouest de la prairie et elle vaut au moins vingt mille dollars...

– Elle ne vaut rien du tout, gronda Grosse-Culotte. Pas avec le satané monstre qui sévit dans la région.

Elle rangea son pistolet et sourit, laissant voir une bouche pleine de dents cassées.

– Heureusement, je suis quelqu'un de bon et généreux. Je vais jouer à un jeu avec toi. Si tu me bats au *snap*, je te donnerai vingt mille dollars et tu pourras même garder ta stupide mine. Mais si je te bats, elle sera à moi, gratuitement, et tu n'auras rien !

La gorge du Vieux Josh se serra.

– D'accord. (Il échangea une poignée de main avec Grosse-Culotte.) J'ai pas vraiment le choix, j'imagine.

Derrière le bar, Bo se pencha à l'oreille de McMeuh :

– Professeur, on ne peut pas laisser Josh faire ça. Vous avez entendu ce qu'ils ont tous dit : Grosse-Culotte ne perd jamais !

– Je me demande bien pourquoi, répondit le taureau génial d'un air pensif. Bo, toi et moi ferions bien de garder l'œil sur elle.

– Et moi, qu'est-ce que je peux faire, Professeur ? demanda Pat.

McMeuh lui confia son mini-appareil photo.

– Rejoins discrètement la chambre de Grosse-Culotte Barmer et cherche des indices. Nous devons découvrir ce que fabriquent les C.I.A.

– Une vraie mission d'espionnage. (Pat déglutit.) Je ne vous décevrai pas, Professeur.

– Je sais, le rassura McMeuh dans un grand sourire.

– Sois prudent, frérot, lança Bo.

Le cœur battant, Pat s'éloigna au milieu de la foule des cow-boys. Grosse-Culotte Barmer et ses gardes du corps écartaient les gens de leur passage pour rejoindre une table installée dans un coin. Pat en profita pour monter les escaliers quatre à quatre et disparaître à la vue de tous.

Grosse-Culotte s'assit sur deux sièges à la fois tandis que le Vieux Josh s'installait sur une chaise en face d'elle. Un attroupement se forma rapidement autour d'eux, ce qui permit à McMeuh et Bo de se rapprocher discrètement à quatre pattes.

Le professeur jeta un coup d'œil entre les jambes d'un cow-boy et vit l'un des ter-meuh-nators tendre au Vieux Josh un paquet de cartes de *snap*. Le vieil homme les mélangea et les lui rendit. Le ter-meuh-nator sourit. Il distribua la moitié des cartes à Josh et la moitié à Grosse-Culotte.

– Le premier à faire trois *snaps* l'emporte, gronda Grosse-Culotte.

Pendant qu'elle parlait, McMeuh remarqua que l'autre ter-meuh-nator appuyait sur le bouton d'un petit appareil cubique fixé sous la table.

– À quoi cela peut-il servir ? murmura-t-il.

Le Vieux Josh retourna sa première carte d'une main tremblante. Elle représentait un bison poilu portant une couronne.

Grosse-Culotte entreprit de retourner sa propre carte.

– SNAP ! cria-t-elle.

Et en effet, l'énorme joueuse avait retourné exactement la même carte, dès son premier essai !

– Quelle chance ! commenta Bo.

– Pas pour Josh, rétorqua McMeuh.

La gorge serrée, le Vieux Josh retourna une autre carte. Une vache armée d'un gros fusil y était dessinée.

– SNAP ! hurla Grosse-Culotte... avant même d'avoir saisi sa carte.

La foule était incrédule. Mais une fois encore, lorsqu'elle posa la carte sur la table, tout le monde vit qu'elle était identique à celle de Josh.

– Je n'y crois pas ! s'exclama celui-ci. Vous devez tricher !

– Comment pourrais-je tricher, l'ancien ? lui lança Grosse-Culotte avec une grimace malveillante. Tu as mélangé les cartes toi-même, non ? Alors ça suffit, joue !

McMeuh se rongeait nerveusement le sabot.

– Si Grosse-Culotte le bat encore, elle récupérera la mine... et Josh n'aura rien du tout !

Les spectateurs retinrent leur souffle lorsque le Vieux Josh abattit une autre carte : le dessin d'une mouche voletant autour d'une bouse de vache.

Grosse-Culotte sourit et tendit la main pour retourner sa carte...

Mais soudain, les portes du saloon s'ouvrirent à toute volée et un individu imposant et enragé s'avança dans la pièce.

– Je suis venu pour toi, Grosse-Culotte ! cria-t-il.

Bo le contempla, surprise. Le chapeau de l'homme était aussi grand et flamboyant que sa moustache était tombante. Il portait des vêtements sombres et sales et ses poings étaient massifs et poilus.

– Tiens, tiens, se moqua Grosse-Culotte. Mon vieil ami Omar le Homard, propriétaire de la plus grosse mine d'or de l'État... jusqu'à ce que je la gagne au *snap*. Ce qui t'a laissé, toi, dans un drôle d'état !

– Tu as triché, gronda Omar. Et je suis revenu pour te donner une bonne leçon !

– Une leçon ? Tu ne serais même pas capable d'apprendre à piquer à un cactus ! rétorqua Grosse-Culotte.

Omar s'avança, mains levées. Mais il n'eut pas le temps de faire plus de quelques pas avant qu'un ter-meuh-nator ne lui fonce dessus. BING ! Omar fut projeté en arrière et alla heurter trois costauds debout derrière lui.

– Hé, pousse-toi ! crièrent-ils.

Puis ils jetèrent Omar dans les bras d'un duo de cow-boys. Furieux, ceux-ci se retournèrent pour s'en prendre aux trois hommes...

Ce fut le début d'une énorme bagarre !

McMeuh se baissa alors que les coups de poing se mettaient à pleuvoir. Des cow-boys se battaient à travers toute la pièce. Des bouteilles furent brisées. Des chaises fendirent l'air. Des tables furent cassées en deux.

– Super, Professeur ! cria Bo. (Elle gifla une grosse brute tout en faisant un croche-pied à une autre.) J'étais en train de me dire que le monde de l'Ouest sauvage n'était pas si sauvage que ça !

Grosse-Culotte, elle, semblait beaucoup moins enthousiaste.

– Arrêtez de vous bagarrer, espèces d'idiots ! cria-t-elle tout en assommant tous ceux qui se trouvaient à sa portée. J'étais sur le point de gagner la mine du vieil homme, de façon loyale !

Le Vieux Josh glapit de surprise quand un cowboy s'écroula sur ses genoux. Il se retrouva soudain pris dans la bagarre, lui aussi !

Bo s'empressa de conduire le vieil homme à l'écart.

– Cette fille a l'air aussi forte qu'un cheval de trait, déclara le barman.

– Un cheval ? (Bo lui envoya une giclée de lait dans l'œil.) Quel culot !

– N'attire pas l'attention sur toi, Bo ! lui siffla le professeur McMeuh. Souviens-toi que les ter-meuh-nators peuvent voir à travers nos déguisements tout comme nous pouvons voir leur... OUF !

Une bouteille de bière venait de le frapper

entre les cornes et il s'écroula sous la table de jeu, les quatre fers en l'air.

– Professeur ! s'écria Bo, alarmée. (Elle se fraya un chemin au milieu des bagarreurs pour lui porter secours.) Tenez bon, j'arrive !

C'est alors qu'une silhouette imposante lui barra brusquement le passage. Ses yeux étaient verts et lumineux : un ter-meuh-nator !

– Alerte ! (Sa voix mécanique vous écorchait l'oreille.) Agent féminin de la F.B.I. détecté !

– Tu l'as dit ! lui lança Bo avec humeur. (Elle n'avait pas l'intention de céder devant lui.) Maintenant, pousse-toi de mon chemin !

– C'est à toi de t'écarter de notre chemin, lança une autre voix grinçante. Minable de la F.B.I. !

Bo fit volte-face pour découvrir le second ter-meuh-nator, juste derrière elle. Les deux taureaux robots tendirent leurs sabots métalliques dans sa direction...

Elle était piégée !

Chapitre 6

Feu de culotte

Bo se baissa tandis que les ter-meuh-nators bondissaient vers elle… et les deux robots s'assommèrent l'un contre l'autre ! Elle en profita pour les distancer et tenter d'atteindre la table sous laquelle gisait le professeur. Mais alors qu'elle se frayait un chemin parmi la foule des bagarreurs, elle vit Grosse-Culotte Barmer braquer sur elle un pistolet de cow-boy !

– Plus un geste, gamine, lui cria Grosse-Culotte. Sans quoi je te crible de trous !

Bo n'avait pas le choix. Elle leva rageusement les sabots en l'air. Elle entendit les cliquetis métalliques des ter-meuh-nators se rapprocher dans son dos, ferma les yeux et se prépara au pire…

Mais soudain, elle fut poussée sur le côté... par Omar le Homard ! Il se retourna et tira Bo derrière lui au milieu des cow-boys turbulents.

– Viens avec moi, petite. Les ennemis de Grosse-Culotte sont mes amis.

Bo fit un grand sourire.

– Merci, le Crabe !

Il se renfrogna.

– Je m'appelle le Homard !

– Comme vous voudrez, répondit Bo tout en passant les portes du saloon. Mais il faut aussi faire sortir mon ami le professeur. Il est peut-être blessé !

Au même moment, la seule fenêtre encore intacte du saloon vola en éclat sous la charge furieuse de l'un des ter-meuh-nators.

– Vous ne pourrez pas vous échapper, gronda-t-il en tirant un pistolet à rayons de son ceinturon. La partie est TER-MEUH-NÉE !

À l'étage, dans la chambre de Grosse-Culotte Barmer, Pat entendit les bruits de lutte et espéra que Bo et le professeur allaient bien.

Au fond d'un tiroir, sous une pile de culottes particulièrement gigantesques, il trouva un épais dossier plein de documents visiblement importants, remplis de termes juridiques compliqués qu'il ne comprit pas.

Pat déposa les textes sur le lit à moitié cassé et prit de nombreuses photos avec l'appareil miniature du professeur. À chaque fois qu'il appuyait sur le bouton, un petit carré de papier sortait d'une fente minuscule. Il suffisait ensuite de le déplier pour obtenir une véritable photographie.

Puis il entendit une voix familière au dehors :

– Reste à l'écart, techno-bœuf, sinon je te botte les circuits imprimés !

– Bo ! souffla Pat en se précipitant vers la fenêtre.

Sa sœur était en effet dans la rue en contrebas, en compagnie d'un homme impressionnant à la moustache plus impressionnante encore. Tous les deux faisaient face à un ter-meuh-nator armé !

Improvisant rapidement un plan, Pat saisit une énorme culotte dans le tiroir et se jeta par la fenêtre !

– Banzaï ! cria-t-il en traversant les airs pour atterrir avec un bruit métallique sur le dos du ter-meuh-nator.

Le taureau-robot s'écroula sur son propre pistolet. Et avant qu'il ne puisse se reprendre, Pat lui enfila la grosse culotte sur la tête !

– Merci d'avoir fait un saut, Pat ! cria Bo.

Pendant que le ter-meuh-nator, paniqué, tentait d'arracher le tissu gonflé par le vent, Bo lui assena son double coup de sabot le plus puissant en plein sur les cornes. Des étincelles jaillirent de la tête du ter-meuh-nator, avec un sifflement aigu... et la culotte se mit à fumer ! Le monstre de métal dévala la rue en courant et en meuglant. Il finit par trébucher dans une auge d'eau croupie et s'y étaler, au milieu d'un nuage de fumée.

– On assure ! s'exclama Bo en prenant Pat dans ses bras. Tu es sûr que tu ne t'es pas fait mal en atterrissant ?

Pat secoua la tête et sourit.

– Par chance, le vent a gonflé la culotte pendant ma chute.

– Je préfère ne pas penser à ce qu'abritent habituellement ces sous-vêtements, déclara le gros homme à la moustache plus grosse encore. Merci pour ton aide, petit. Je suis Omar le Homard, à ton service.

Pat lui serra la main puis scruta les alentours.

– Mais où est le professeur ?

– Ici ! répondit McMeuh en passant les portes du saloon. (Il jeta un coup d'œil au ter-meuh-nator fumant avec la culotte sur la tête et ne put s'empêcher de sourire.) Il est tombé sur quelqu'un de plus culotté que lui, on dirait !

– Oui, Pat ! annonça fièrement Bo.

– As-tu trouvé quoi que ce soit dans la chambre de Grosse-Culotte ? demanda McMeuh. À part cette grosse culotte, je veux dire.

Pat hocha la tête avec enthousiasme. Il était sur le point de montrer ses photos lorsqu'il réalisa que le saloon était devenu silencieux.

– Hé, où en est la bagarre ?

– C'est terminé, répondit McMeuh en s'essuyant les babines. J'ai persuadé le barman d'offrir une tasse de thé à tout le monde : « Un bon breuvage au lait apaise même les plus soupe au lait ».

– Mais vous allez bien, Professeur ? demanda Bo. Je vous ai vu rouler sous la table...

– Exact, dit McMeuh. Et je suis resté au sol afin de pouvoir étudier l'appareil que les C.I.A. avaient caché en dessous. Une machine à modifier les cartes !

– Une quoi ? demanda Pat.

– Elle transforme automatiquement la carte de Grosse-Culotte pour qu'elle soit identique à celle posée sur la table, expliqua McMeuh. Voilà pourquoi elle gagne toujours au *snap*.

– Cette espèce de sale bique à foie jaune, cœur noir, genoux violets et orteils verdâtres ! s'écria Omar le Homard. Je savais qu'elle avait triché. Allons lui faire sa fête !

McMeuh leva un sabot pour l'arrêter.

– Je vous en prie, ne la dérangez pas, monsieur le Homard. Josh et elle ont recommencé à jouer aux cartes et, au milieu de toute cette confusion, j'ai habilement inversé les réglages de l'appareil des C.I.A. Cette fois, il fonctionnera au service du Vieux Josh.

– Yaouh ! (La voix du Vieux Josh venait de retentir du saloon.) J'ai battu la terrible Grosse-Culotte !

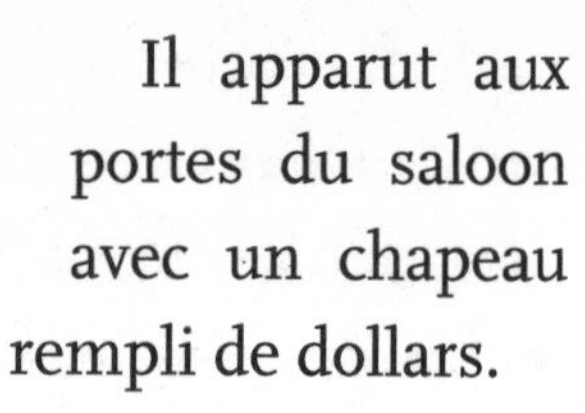

Il apparut aux portes du saloon avec un chapeau rempli de dollars.

– J'ai ses vingt mille dollars et je possède toujours la mine ! Youpi !

Il se mit à courir dans tous les sens et à embrasser tous ceux qu'il croisait : Bo, Pat, Omar et (malheureusement) un cactus...

– AÏE !!!

– Rigole pendant que tu en as l'occasion, l'ancien ! gronda Grosse-Culotte en sortant du saloon, escortée par l'autre ter-meuh-nator. Je veux récupérer mon argent, Josh Hosh. Sans quoi tes copains et toi aurez de gros ennuis !

– Tu ne nous fais pas peur ! cria Omar. Je suis ami avec trois des plus fines gâchettes de l'Ouest : Jesse James, Buffalo Bill et Calamity Jane. Ils vont venir s'occuper de toi sous peu, crois-moi !

– Mais ils ne sont pas là pour vous aider, se moqua Grosse-Culotte en agitant son pistolet dans la direction d'Omar le Homard. Si ?

– Eux, peut-être pas. Mais moi, oui ! lança une voix que Pat reconnut.

Le shérif se tenait derrière eux, l'air très mécontent, avec un pistolet dans chaque main.

– Ça ne me gêne pas que vous mettiez le bazar dans le saloon, continua-t-il. Mais je ne veux pas de troubles dans les rues de Dodgem !

McMeuh sourit à Grosse-Culotte et au ter-meuh-nator.

– Nous étions sur le point de partir ! dit-il. N'est-ce pas ?

– Attendez, gronda le ter-meuh-nator. (Son écharpe était dénouée et une plaque sur sa poitrine révélait son nom, T-65.) Vous avez été identifié comme l'agent de la F.B.I. Angus McMeuh. Niveau de danger : A-plus.

– Merci, répondit froidement McMeuh. Et j'ai bien l'intention d'atteindre le niveau A-double-plus avant la fin de cette histoire !

– Je vous avertis, j'en ai assez vu ! cria le shérif. Quiconque sera encore dans la rue dans dix secondes prendra une volée de plombs dans le ventre !

À cette idée, Pat se frotta l'estomac en grimaçant.

– Allons-y !

– Cette affaire ne s'arrêtera pas là, leur promit Grosse-Culotte. Méfiez-vous du Monstre Cornu. Il paraît que la nuit il a très, très FAIM.

– Ignorez-la, dit McMeuh.

Il inclina son chapeau en direction du shérif et guida le groupe à l'écart. Mais il ne put contenir un frisson en entendant les rires moqueurs de Grosse-Culotte et du ter-meuh-nator dans leur dos.

Chapitre 7

Le souffle du monstre

McMeuh et sa bande traversaient les rues sombres et poussiéreuses de Dodgem. Le professeur avait le museau plongé dans les photos que Pat avait prises des papiers de Grosse-Culotte. Et le jeune bœuf devait sans cesse l'orienter dans un sens ou dans l'autre pour l'empêcher de percuter un mur ou un cactus.

– Est-ce que ces images vous apprennent quelque chose ? voulut savoir Bo.

– Elles me disent que Grosse-Culotte achète des kilomètres et des kilomètres de terres dans l'Ouest sauvage, annonça McMeuh. Et qu'elle doit le faire pour les C.I.A.

– Mais comment peut-elle se le permettre ? demanda Pat.

– En trompant des gens comme Omar pour remporter leurs mines par tricherie, expliqua le professeur. Les C.I.A. doivent exploiter l'or et l'argent et s'en servir pour acheter toujours plus de terres...

Pat acquiesça :

– Et tout le monde vend à bas prix à cause du monstre. Vous croyez que c'est une créature qu'ils ont ramenée du futur ?

– Ou du passé. Ça pourrait être un dinosaure ! s'exclama Bo.

– Hé ! lança Omar en s'arrêtant. Je ne comprends pas un traître mot de ce que vous racontez, mais regardez : il n'y a plus de rues !

Ils avaient en effet atteint les limites de la ville. Seules les plaines s'étalaient à présent devant eux.

– La ville la plus proche est à trente kilomètres en diligence, affirma le Vieux Josh. Et celle-ci ne viendra pas avant demain.

Bo se tourna vers Omar.

– Vous pensez que vos amis tireurs seront dans cette diligence ?

– Je ne sais pas, soupira-t-il. J'ai envoyé une lettre à Bill, Jesse et Calamity. Mais ils ne m'ont jamais répondu.

– Bon, nous ne pouvons de toute façon pas rester ici à attendre la diligence, annonça McMeuh. Grosse-Culotte et son homme de main vont en avoir après nous... à moins que le shérif ne nous trouve en premier !

– Retournons à l'Étable Temporelle, proposa Pat. Heu... Je veux dire « à notre ferme ».

– Oui, nous y serons en sécurité, opina le professeur.

– Si le monstre ne nous mange pas en chemin, ajouta Bo.

Tout en échangeant des regards inquiets, les autres lui emboîtèrent le pas en direction des plaines plongées dans les ténèbres.

Durant la première heure, la petite bande progressa d'un bon pas. Bo avait donné des coups de pied dans divers rochers et cactus durant leur trajet vers Dodgem, et elle s'en servait à présent pour retrouver le chemin de l'Étable Temporelle.

– Attendez un instant ! lança Pat, nerveux. (Une étrange lueur verte illuminait la colline la plus proche.) Qu'est-ce que c'est que ça ?

Puis son estomac fit un saut périlleux arrière et un triple salto lorsqu'un hurlement terrible déchira la nuit.

– Oh non ! gémit McMeuh. Pas encore !

– C'est le Monstre Cornu ! s'écria le Vieux Josh.

– Il vient pour nous ! glapit Omar d'une voix soudain très aiguë.

Le monstre lumineux apparut au sommet d'une colline rocheuse, aussi gros qu'un bus radioactif. Avec ses énormes cornes tremblantes, sa gueule baveuse et son énorme museau suintant, il était vraiment terrifiant. Lorsque ses gigantesques yeux se braquèrent sur Pat, le jeune bœuf tira son mini-appareil photo et tenta de prendre des clichés. Mais le même vent

que la dernière fois s'était levé et lui projetait des débris dans les yeux. Pat chancela et faillit tomber.

Heureusement, quelqu'un le retint par le bras.

– Viens, gamin ! lança Omar le Homard. Ne restons pas là !

– Non, attendez ! (De ses sabots tremblants, Pat remit l'appareil dans sa poche.) Professeur, Bo ? Où êtes-vous ?

– Cours ! insista Omar.

Le monstre rugit de nouveau et le sol trembla comme il s'avançait vers eux. Omar agrippa le jeune bœuf et le tira derrière lui au milieu des vents violents.

La poussière menaçait d'étouffer Pat et lui piquait la peau, gênant sa progression sur la plaine rocailleuse. Son cœur battait si fort qu'il craignait qu'il n'explose. Il perdit toute notion du temps tandis qu'Omar et lui luttaient contre les rafales aveuglantes. Toutefois, en clignant des paupières pour se débarrasser des derniers débris qu'il avait dans les yeux, Pat finit par voir l'éclat vert du monstre disparaître derrière un relief rocheux.

– On s'en est sortis, déclara Omar.

– Mais qu'est-il arrivé à Bo et au professeur ? demanda Pat avec inquiétude.

– Je suis certain qu'ils vont bien, répondit le Homard d'un ton bourru. Nous les retrouverons à votre ferme, tu verras.

– Je n'en suis pas si sûr, reprit tristement Pat. (Il contemplait la plaine éclairée par la lune tout autour d'eux.) Je ne connais pas le chemin !

Omar leva les yeux au ciel.

– Dans ce cas, allons chez moi.

– Mais ce n'est plus chez vous désormais, lui rappela Pat.

– On verra ça ! gronda Omar.

Les poings serrés, il s'enfonça dans la nuit. Pat lui emboîta le pas en espérant que Bo et le professeur étaient sains et saufs.

Non loin de là, le grand taureau, Bo et le Vieux Josh arpentaient eux aussi les plaines nocturnes. Ils avaient couru et couru encore, jusqu'à ce que le monstre perde leur trace. Mais ils s'étaient perdus eux aussi au passage.

– J'espère que Pat va bien, soupira McMeuh en regardant le soleil se lever derrière les montagnes.

– C'est un dur à cuire, le rassura Bo. Et il a la Langouste avec lui.

– Le Homard ! lui rappela McMeuh.

– Ouais, ouais, soupira Bo avec un haussement d'épaules. Je parie qu'ils nous attendent déjà à l'Étable Temporelle. Et maintenant que le jour est levé, elle sera plus facile à repérer.

– Hé ! s'écria le Vieux Josh. Moi, c'est ma bonne vieille mine d'argent que j'ai repérée !

Il désigna du doigt une grande caverne ouverte sur un coteau rougeâtre, non loin d'eux. Des cabanes de bois de tailles variées étaient installées tout autour.

– On pourrait s'y arrêter pour boire une tasse de thé, suggéra McMeuh. Puis nous reprendrons nos recherches.

Il ouvrit la voie en direction de la mine. Mais comme ils approchaient de la plus grosse des cabanes, des rayons laser firent exploser le sol devant eux ! Surpris, le Vieux Josh fit un bond et atterrit dans les bras de Bo.

– On ne bouge plus ! lança une voix familière.

Grosse-Culotte Barmer sortit de derrière un rocher. Le ter-meuh-nator T-65 se tenait dans son dos.

– Ah... soupira McMeuh. Pas de thé, donc.

– Vous avez peut-être réussi à échapper au monstre, déclara le ter-meuh-nator en brandissant son arme. Mais vous n'échapperez pas à ces LASERS...

– Courez ! cria McMeuh, avant de soulever un gros nuage de poussière à l'aide de ses sabots. Le ter-meuh-nator tira dans tous les sens à travers la couche de poussière qui lui bloquait la vue. Un tir brûlant siffla à l'oreille de Bo et un autre frappa le sol aux pieds du Vieux Josh.

Le Professeur baissa la tête et enfonça l'entrée de l'une des cabanes de bois. Bo et Josh le suivirent puis claquèrent la porte derrière eux.

– Ça ne sert à rien de se cacher ici, haleta le Vieux Josh. On n'a nulle part où aller, c'est juste une réserve !

Des balles et des tirs de laser vinrent frapper les parois en bois. Une pluie de cendres s'abattit sur les trois amis.

– Ces murs n'arrêteraient même pas un hamster en colère, admit McMeuh. (À l'extérieur, les détonations redoublèrent d'intensité.) Le Vieux Josh a raison... on dirait que c'en est fini de nous !

Chapitre 8

Les problèmes, ça mine !

Le soleil se levait au-dessus des montagnes anguleuses, au loin, lorsque Pat et Omar atteignirent la mine d'or. Elle paraissait déserte. Mais alors que Pat hâtait le pas pour gravir une colline rocheuse, le Homard s'immobilisa brusquement.

– Regarde ! siffla-t-il en jetant un coup d'œil pardessus la crête de la colline. Des voleurs de bétail !

Pat plissa les yeux pour apercevoir deux silhouettes familières montant la garde devant plusieurs taureaux, à l'ombre d'un énorme cactus.

– Henry et Jim Bob ! chuchota-t-il en se souvenant de leur rencontre tendue devant l'Étable Temporelle. Ils ont donc fini par trouver quelques bovins dans la prairie !

– On n'a pas le temps de libérer ces vaches pour l'instant, dit Omar. Nous devrions continuer vers ma mine. Si tu m'aides à me débarrasser de ceux qui s'y sont installés, je t'aiderai à retrouver ta ferme.

Pat songea avec envie à la sécurité qu'offrirait l'Étable Temporelle. Le professeur et Bo allaient forcément s'y rendre dès que possible.

– Très bien, j'accepte, dit-il.

Il avait de la peine pour les vaches capturées et se promit de revenir les secourir plus tard.

Ils reprirent leur route en restant hors de vue des voleurs et rejoignirent bientôt la mine d'Omar. Pat remarqua d'étranges traces sur le sol. Certaines avaient clairement la forme de sabots, alors que d'autres étaient longues, larges et profondes.

– Qu'est-ce qui a laissé ces traces, à votre avis ?

– Allons voir dans la mine, murmura Omar.

Il saisit une lanterne suspendue au mur, l'alluma à l'aide d'une allumette et s'enfonça dans le tunnel froid et obscur. Dans le halo lumineux de la lampe, Pat découvrit des empreintes de sabots, de vieilles bouses séchées et des restes de foin.

– Quelqu'un a gardé des vaches ici ! s'exclama le Homard.

– Mais c'est bien sûr ! Voilà pourquoi Grosse-Culotte en avait après les mines des gens, réalisa Pat. Tout le monde pense que les bovins ont été dévorés par le monstre ou forcés de s'enfuir. En réalité, ils sont cachés depuis tout ce temps dans des mines comme la vôtre !

– Pourquoi Grosse-Culotte voudrait-elle cacher des vaches ? se demanda Omar. Elle est jalouse parce qu'elles sont toutes plus jolies qu'elle ?

– Elle travaille pour des gens très intéressés par les vaches, expliqua Pat. Mais où sont-elles maintenant ?

Il mit la main dans sa poche et en sortit plusieurs carrés de papier : les photos prises avec le mini-appareil.

– Je les avais oubliées celles-là. Il y avait tellement de vent et de poussière, j'imagine que ça n'a rien donné...

Cependant, en regardant les images, il ne put retenir un hoquet de surprise.

Omar fit la moue.

– Quoi ?

Pat le fixa droit dans les yeux.

– Je connais le secret du Monstre Cornu !

– Eh bien ça devra attendre, siffla Omar en posant un doigt sur ses lèvres. On dirait que quelqu'un approche !

Pat tendit l'oreille... et son sang se glaça. Des frottements sinistres et des bruits de pas descendaient le tunnel dans leur direction...

Plus loin sur la plaine, dans la réserve du Vieux Josh, Bo n'entendait que les sifflements des lasers et les BANG ! BANG ! des balles. Les murs tremblaient et s'effritaient autour d'eux.

Le Vieux Josh s'était plaqué les mains sur les oreilles.

– Grosse-Culotte et son ami pourraient réduire cette cabane en pièces avec leurs éclairs magiques, gémit-il. Pourquoi ne le font-ils pas ?

– Ils jouent avec nous, répondit Bo d'un ton de colère.

– Pas seulement, cria le Professeur McMeuh. Josh, vous avez toujours les vingt mille dollars de Grosse-Culotte. Elle veut les garder intacts.

Le Vieux Josh sortit sa grosse liasse de billets et l'embrassa.

– Moi aussi !

– Une idée, Prof ? demanda Bo.

– Oui… baissez-vous ! recommanda McMeuh.

La réserve se mit à trembler et une pile de caisses à côté de lui s'écrasa au sol. Le couvercle de l'une d'elles se fendit, laissant voir plusieurs tubes de couleur brune, semblables à de gros pétards.

– Bénies soient mes cornes ! reprit le professeur. Des bâtons de dynamite, un puissant explosif !

– J'avais oublié qu'ils étaient stockés ici, s'écria le Vieux Josh. J'ai utilisé de la dynamite pour faire exploser les rochers en bas, histoire d'atteindre le gisement d'argent.

– Génial ! s'enthousiasma Bo.

Mais soudain, une planche en feu se détacha du mur pour atterrir sur la dynamite… et des étincelles jaillirent de l'un des bâtons !

– Oh, oh ! dit McMeuh. Le bois calciné a mis le feu à la mèche ! La dynamite va exploser !

– Je vais l'éteindre, déclara Bo.

Elle fit alors gicler du lait sur le bâton d'explosif. Sans succès. Elle piétina ensuite la mèche de ses sabots pour éteindre la flamme, mais celle-ci ne cessait de revenir à la vie.

Le Vieux Josh frappa le bâton à l'aide d'une pelle. McMeuh tenta de s'asseoir dessus. Désespérée, Bo commença à faire des claquettes sur l'explosif et l'enfonça profondément dans le sol. Mais rien ne semblait pouvoir éteindre la mèche enflammée !

– AUX ABRIS ! cria McMeuh.

Josh sauta à l'intérieur d'un tonneau pendant que le professeur et Bo se réfugiaient derrière une pile d'épaisses planches de bois.

Une fraction de seconde plus tard... KA-BOOOOOUM !

Avec un bruit de tonnerre, la dynamite explosa. Bo retint son souffle et vit le toit sauter et les murs s'aplatir comme des crêpes. Une boule de feu jaillit vers le ciel et une épaisse fumée noire emplit l'air.

– Aaaaaah ! cria le Vieux Josh.

Son tonneau fut projeté au loin par l'explosion, en roulant sur lui-même à une vitesse incroyable. Avec un frisson de terreur, Bo sentit le sol se fendre et se dérober sous ses sabots.

– Argh ! s'écria-t-elle comme le professeur et elle traversaient le plancher pour tomber dans les ténèbres froides et humides...

McMeuh lâcha un « Humf! » sonore en atterrissant sur le dos, suivi d'un second « Humf! » au moment où Bo s'écrasa contre son ventre. Son troisième « Humf! » retentit alors que des caisses en feu et des morceaux de bois calcinés commençaient à pleuvoir autour d'eux.

Bo remonta vivement sa robe et entreprit d'éteindre les flammes à l'aide de giclées contrôlées de ses mamelles.

– N'éteins pas celle-ci, dit McMeuh en ramassant un morceau de bois dont l'extrémité était enflammée, à la manière d'une chandelle géante. Nous l'utiliserons pour nous éclairer.

– Qu'est-ce qui s'est passé ? demanda Bo en contemplant la lumière du jour qui leur parvenait depuis un trou aux bords irréguliers au-dessus de leurs têtes.

– La dynamite a fendu le sol sous nos pas, expliqua McMeuh. Nous avons dû tomber dans un tunnel de la mine passant sous la réserve.

Bo sentit sa gorge se serrer.

– Où est le Vieux Josh ?

– Il s'est caché à l'intérieur d'un solide tonneau, il devrait s'en sortir, répondit le taureau à lunettes. Mais vu la vitesse à laquelle il roulait, il risque d'avoir la tête qui tourne pendant une semaine entière !

– Espérons qu'il roulera jusqu'à l'Étable Temporelle, lança Bo. Comme ça, il retrouvera Pat et la Méduse.

McMeuh poussa un soupir d'exaspération.

– Pour la dernière fois, c'est le Hom...

– Chut !

Bo avait entendu des voix provenant du trou dans le plafond du tunnel. Elle s'en éloigna immédiatement, pour ne pas être vue.

– Il ne reste rien ! se plaignait Grosse-Culotte. Mon magnifique butin ! Il a dû être réduit en charpie en même temps que ces gêneurs !

– Nous gagnerons plus d'argent très bientôt, lui assura T-65. Et maintenant, personne ne nous empêchera plus de nous emparer de cette mine. Dommage, je n'ai pas pu interroger McMeuh. Mais au moins, maintenant qu'il est éli-meuh-né, il ne pourra pas contrecarrer nos plans.

Le ter-meuh-nator s'éloigna d'un pas mécanique et Grosse-Culotte le suivit, l'air contrarié.

– Éli-meuh-né ? sourit le professeur. Vous rêvez !

Il se mit à sautiller d'excitation.

– Viens avec moi, Bo ! Nous avons la chance d'explorer une authentique mine d'argent du Far West. Tu imagines ?! Allez, essayons de ce côté...

Il descendit au trot l'un des tunnels en levant sa torche enflammée. Mais, rapidement, les deux amis durent se mettre à quatre pattes pour continuer à avancer. Puis ils furent obligés de ramper sur le ventre.

– Et si nous faisions demi-tour ? proposa Bo.

– Pas maintenant, lui dit McMeuh en tournant au coin du conduit rocheux. Je vois de la lumière au bout du tunnel !

– Ce doit être une sortie ! s'exclama Bo.

McMeuh fronça les sourcils.

– Ou bien une entrée...

Le professeur atteignit l'extrémité du tunnel et se laissa tomber sur une large corniche en contrebas. Maintenant que le derrière de son compagnon ne lui bouchait plus la vue, Bo réalisa que le tunnel débouchait sur les hauteurs d'une gigantesque caverne s'étendant à perte de vue. Elle cligna des yeux dans la lumière d'une lampe monumentale accrochée à la voûte rocheuse. Celle-ci brillait à la manière d'un mini-soleil au-dessus de centaines de cabanes et de ranchs semblables à ceux des humains, reliés les uns aux autres par de petits jardins et des chemins poussiéreux.

Bo ouvrit si grand la bouche qu'elle faillit en perdre son chewing-gum.

– Professeur, souffla-t-elle en le rejoignant sur la corniche. Qu'est-ce que c'est que tout ça ?

– Je l'ignore, Bo, murmura McMeuh en éteignant la torche.

Ils contemplèrent le village, stupéfaits. Travaillant dans les jardins, les cuisines et se promenant sur les sentiers... se trouvaient des vaches !

Chapitre 9

Bienvenue chez les bovins

– C'est dingue, Professeur ! s'emporta Bo. Qui pourrait construire une ville souterraine et l'offrir aux vaches, aux taureaux et aux bisons ?

McMeuh étudiait la paroi de roche lisse donnant sur le village en contrebas.

– Cette caverne tout entière a été créée par une technologie venue du futur, affirma-t-il. C'est l'œuvre des C.I.A.

– Mais pourquoi ? se demanda Bo.

– C'est ce que nous devons découvrir, répondit son compagnon avec gravité.

Soudain, ils entendirent un rugissement familier.

– Le Monstre Cornu ! siffla Bo.

En effet, une silhouette géante et monstrueuse apparut en haut de la rue principale et avança

vers le village
en poussant des
grondements sourds. Ses longues cornes vibraient au-dessus de son énorme tête et sa carapace poussiéreuse brillait d'un éclat surnaturel. Le monstre ralentit et s'arrêta, ses grands yeux lumineux au sommet de sa gueule effrayante comme deux phares de voiture...

Puis les yeux du monstre s'assombrirent, comme si on les avait éteints.

C'étaient vraiment des phares !

McMeuh ne put cacher sa surprise :

– Le monstre n'en est pas un... c'est une machine !

Brusquement, avec un grand bruit de grincement, un large panneau se déploya dans le dos du monstre pour former une rampe menant à la route. Bo ouvrit des yeux stupéfaits en voyant sortir sept ou huit bisons, guidés par un ter-meuh-nator.

– C'est un transport de vaches secret ! s'écria-t-elle.

– Très ingénieux, grommela McMeuh. Un engin déguisé en monstre pour faire peur aux humains, histoire de s'emparer des vaches sans résistance. Il déclenche même des tempêtes de poussière pour empêcher quiconque de le suivre à la trace. Les C.I.A. ne veulent pas qu'on les voie emporter le bétail volé vers les mines.

Bo le regarda avec de grands yeux.

– Vous pensez qu'il existe d'autres villages souterrains sous les autres mines ?

– Regarde à quel point cet endroit est immense, répondit McMeuh en désignant du sabot la gigantesque grotte. Les mines constituent des entrées et des sorties pratiques dans toute la région. Voilà pourquoi les C.I.A. les achètent toutes !

Le ter-meuh-nator sur la rampe d'accès échangea quelques mots avec un bison brun vêtu d'une combinaison de travail et d'un casque de chantier.

Le bison hocha la tête, puis il poussa sans ménagement les bovins le long du chemin, vers le centre de la ville.

– Je me demande où ils vont, grommela McMeuh.

Comme le ter-meuh-nator rentrait dans le « monstre », Bo remarqua les lambeaux de tissu gris accrochés à la pointe de ses cornes.

– Hé, Professeur, ce doit être le ter-meuh-nator que l'on a vu avec Grosse-Culotte à Dodgem. L'espèce de robot idiot qui s'est retrouvé avec une culotte sur la tête !

– C'est le conducteur dans cette opération, on dirait, fit observer McMeuh. (Le panneau du transport de bovins se referma et la machine fit marche arrière sur la route.) Tu vois ? Il ramène le « monstre » au dehors pour s'emparer des dernières vaches qui arpentent encore les plaines.

Une question était venue à l'esprit de Bo :

– Hé, vous pensez que l'arrière-arrière-blabla-grand-mère de Madame Ventralait est ici ?

– Possible, confirma le professeur. Espérons qu'il ne lui est rien arrivé. Car sinon, Madame V.

elle-même ne verra jamais le jour, le futur sera modifié et tout finira mal !

– C'est vraiment réconfortant de discuter avec vous, Professeur, maugréa Bo. J'aimerais bien que les amis tireurs du Mérou soient ici pour nous aider.

– Le Mérou ? (McMeuh prit une profonde inspiration.) Bo, est-ce que tu fais exprès de te tromper sur le surnom d'Omar pour m'embêter ?

– Ouaip, admit-elle. Je plaisante parce que je suis inquiète. Qu'est-ce que les Cornes Impitoyables peuvent bien vouloir faire de têtes de bétail sans intelligence du Far West ? Vous pensez qu'ils essaient de les rendre maléfiques et méchantes pour se constituer une armée de vaches folles ?

– Les C.I.A. ont déjà tenté ce genre de choses auparavant... (McMeuh fronça les sourcils.) Mais pourquoi voudraient-ils que les bovins de leur armée vivent comme des hommes ?

Bo haussa les épaules avec un soupir. McMeuh lui tapota gentiment l'épaule.

– Bon, allons voir en bas pour en avoir le cœur net, d'accord ? (Il sourit.) Ou devrais-je dire les cornes nettes ?

Ils suivirent un chemin escarpé le long de la paroi puis sautèrent sur un sentier poussiéreux menant à la route principale. Les vaches du village ne les remarquèrent pas : elles étaient trop occupées à s'occuper de leurs jardins, à balayer leurs sols ou à nettoyer les bouses dans leurs toilettes.

McMeuh et Bo remontèrent rapidement la route, sur la piste des bisons récemment arrivés. Ils virent que le bovin au casque de chantier avait rassemblé le bétail dans un enclos rempli de bois de construction et d'outils. Après s'être cachés derrière une grosse meule de foin, les agents de la F.B.I. espionnèrent la réunion.

– Très bien, nouvelles recrues ! cria le bison. Je m'appelle Patrice Patron. Vous allez voir que la vie est très différente, ici-bas. Finies les balades dans la plaine !

Vous allez devoir construire vos propres maisons et les habiter.

Bo et McMeuh froncèrent les sourcils. Les bisons, eux, échangeaient des regards perplexes.

– Inutile de faire ces yeux-là, gronda Patrice Patron. L'idée ne vous plaît peut-être pas, mais vous feriez mieux de vous y habituer ! (Il s'avança vers le tas de planches.) Il est vital que vous appreniez à construire vos propres maisons. Bientôt vous retournerez à la surface. Et toutes les vaches, ainsi que tous les veaux qu'elles pourraient avoir, devront vivre dans des maisons identiques à travers les plaines de l'Ouest...

– Je sais que beaucoup de cow-boys construisaient eux-mêmes leur maison. Mais des vaches ! Cette histoire n'a ni queue ni tête. (Puis il sembla comprendre.) Oh non ! Attends une minute...

– Qu'est-ce qu'il y a ? siffla Bo.

– Je sais ce qui se passe ! (Surexcité, le professeur ouvrait de grands yeux.) Cet ouvrier bison, ce village souterrain, ce projet d'apprendre aux vaches à vivre dans des maisons humaines... tout cela fait partie d'un unique et redoutable plan !

Bo plaqua un sabot contre sa bouche.

– Ne parlez pas si fort, Professeur !

– Inutile de jouer les rabat-joie, Bo Vine ! lança une voix métallique et familière dans leur dos. Le Professeur peut chanter les louanges des C.I.A. aussi fort qu'il le veut !

Les deux amis firent volte-face pour découvrir que T-65 s'était faufilé derrière eux. Bien entendu, Grosse-Culotte Barmer était à ses côtés.

– Je suis heureuse que vous n'ayez pas été réduits en miettes dans cette réserve tout à l'heure, gronda-t-elle en brandissant un bâton de dynamite. Je vais pouvoir finir le travail ici, maintenant... et en personne !

Chapitre 10

Piégés !

– Encore vous ! gémit McMeuh. Vous êtes plus collants que du papier tue-mouches !

– Oublie les mouches, dit Grosse-Culotte d'un ton menaçant en agitant son bâton de dynamite. Où sont mes vingt mille dollars ?

Bo souffla une bulle de chewing-gum dans sa direction.

– Faites-nous du mal et vous ne le saurez jamais !

– Hé ! (Patrice Patron s'avançait vers Grosse-Culotte et le ter-meuh-nator, l'air mécontent.) J'essaie de faire classe, T-65. Que se passe-t-il ?

– Je vais vous dire exactement ce qui se passe, intervint le professeur. En 1862, une loi du nom de Homestead a été mise en place par Abraham Lincoln, le président américain. (Il se tourna vers

Bo.) Je vous en ai parlé lorsqu'on a rencontré le Vieux Josh, tu te souviens ?

– Vaguement, répondit Bo. Ça avait l'air ennuyeux à mourir !

– Cette loi ennuyeuse pourrait bien signifier la fin de l'histoire telle que nous la connaissons, reprit McMeuh d'un ton grave. Grâce à elle, quiconque construisait une maison et y habitait un certain temps devenait gratuitement le propriétaire des terres alentour.

– Exact, affirma froidement le ter-meuh-nator.

– Eh oui mon bon monsieur ! se moqua Grosse-Culotte. On entraîne ces vaches à construire des maisons pour qu'elles s'emparent ensuite de tout le Far West !

– C'est diabolique ! (McMeuh, furieux, fondit sur le ter-meuh-nator.) Vous avez utilisé votre « monstre » pour faire fuir les cow-boys afin de pouvoir vous emparer de leurs terres !

(Il fit face à Grosse-Culotte.) Et vous, vous avez acquis toujours plus de terres en trichant aux cartes, comme avec Omar le Homard.

T-65 hocha sa tête métallique.

– Pendant ce temps, nous avons creusé dans toutes les mines de la région pour construire notre village souterrain, dit-il. Et nous utilisons les métaux précieux récoltés pour acheter encore plus de terres à la surface...

– Mais c'est idiot ! déclara froidement Bo. Les vaches ne peuvent pas vivre dans des maisons au dix-neuvième siècle. Personne ne les prendra au sérieux.

– Oh que si ! affirma T-65 en souriant. Car des agents des C.I.A. dotés d'anneaunymes se feront passer pour des politiciens américains. Une fois élus, ils ouvriront la voie à l'achat de terres par les vaches... et nous n'aurons plus besoin d'individus comme Grosse-Culotte Barmer pour les acheter à notre place.

– Vous avez entendu, Grosse-Culotte ! Les C.I.A. se servent de vous ! s'exclama McMeuh. Dès l'instant où vous ne leur serez plus utile, ils vous éli-meuh-neront !

– Possible, répondit Grosse-Culotte avec un haussement d'épaules. Mais vu ce qu'ils me paient, je suis prête à courir le risque !

– Imaginez ça, Professeur, se moqua T-65. D'ici dix ans, les vaches possèderont des États américains entiers : l'Utah, le Kansas, le Colorado...

Patrice Patron le bison était enthousiaste.

– Oubliez la nation bovine libre de Luckyburger dans presque sept cents ans, dit-il. Nous allons fonder celle de Lassoburger ici et maintenant !

– Et, en secret, nous ferons de la population bovine tout entière une force de guerre implacable, renchérit T-65, prête pour le jour où nous renverserons l'ensemble des États-Unis !

McMeuh se frappa le front du sabot.

– Une nation de vaches guerrières au cœur du pays le plus puissant du monde !

Bo grimaça.

– Ça ne présage rien de bon !

– En particulier pour vous deux. (Grosse-Culotte agita son bâton de dynamite devant le visage du professeur.) Maintenant, à moins que vous ne vouliez que j'allume ceci pour vous le fourrer dans le derrière, DITES-MOI OÙ EST PASSÉ MON ARGENT !

– D'accord, d'accord, dit le professeur. (Il désigna le mur derrière elle.) Il est là-bas.

– Où ça ? demanda Grosse-Culotte en se tournant, l'air surpris...

Bo en profita pour passer à l'action ! Elle frappa Grosse-Culotte au ventre avec une attaque d'arts meuh-rtiaux. La grosse mégère s'écroula au sol et l'onde de choc faillit renverser T-65. Au même instant, McMeuh saisit le casque de chantier de Patrice Patron et l'enfonça sur le museau du termeuh-nator. Le couvre-chef se retrouva coincé, sa bordure jaune bloquant la vision robotique de la créature.

– Alerte ! s'écria T-65 en agitant les bras dans tous les sens.

Bo agrippa Patrice Patron par le sabot et l'envoya valdinguer droit sur le ter-meuh-nator. Tous les deux s'écroulèrent dans un vacarme assourdissant.

– Cours ! cria McMeuh.

Puis il chargea le long de la route, Bo sur ses talons.

– Je n'arrive pas à croire que Grosse-Culotte se soit laissée avoir par le coup classique du « regarde derrière toi ! » souffla Bo. C'est l'une des plus vieilles ruses du monde !

– Ah, mais nous sommes en 1875, tu te souviens ? répondit McMeuh en souriant. Donc cette astuce est un peu plus récente ici qu'à notre époque.

– Personne n'échappe aux C.I.A. ! rugit T-65 dans leur dos.

Il avait déjà repris ses esprits et les poursuivait. Grosse-Culotte et Patrice Patron, meurtris, boitaient derrière lui, leur visage déformé par la rage...

– Ça va aller, affirma Bo en se forçant à accélérer l'allure. Ils n'arriveront jamais à nous rattraper.

C'est alors qu'un tir de laser passa juste au-dessus de leurs têtes.

– Ils n'ont pas besoin de nous attraper, meugla McMeuh. Cette partie de la route est en ligne droite… donc T-65 nous a dans sa ligne de mire. Il n'y a aucun obstacle entre lui et nous !

Cependant, pour la première fois de sa vie, le professeur McMeuh avait tort. Car, à la seconde suivante, un obstacle apparut sur le chemin de T-65. Une énorme vache noire et blanche s'était avancée devant le ter-meuh-nator, suivie par un groupe de jeunes veaux. Ils bloquaient le passage !

– Écartez-vous tous ! cria le taureau-robot, très énervé.

Mais au lieu de se laisser impressionner, la vache mère se cabra et fit voltiger le pistolet à rayons loin des sabots métalliques de T-65 !

– Sale bête maladroite ! s'exclama Grosse-Culotte. (Mais comme elle se baissait pour ramasser l'arme, deux des veaux laissèrent tomber de grosses bouses pile dessus.) Beurk ! Quelqu'un a des gants ?

Tout en continuant à courir, Bo jeta un coup d'œil en arrière vers l'obstacle inattendu. La grande vache noire et blanche avait des mamelles de la taille d'un teckel grassouillet. Elle fit un clin d'œil à Bo, comme si elle avait fait exprès de barrer la route au ter-meuh-nator.

– Professeur ! hoqueta Bo. On vient d'être sauvés par une vache qui ressemble comme deux gouttes d'eau à Madame Ventralait !

– Bénies soient mes cornes ! répondit le professeur en jetant à son tour un coup d'œil en arrière. Ce doit être la lointaine ancêtre de Madame Ventralait, bien vivante et faisant déjà preuve d'une belle intelligence naturelle !

Tandis que les deux amis s'émerveillaient de ce qui se trouvait derrière eux, ils oublièrent de regarder où ils allaient. Il fallut un rugissement aussi assourdissant que familier pour leur faire réaliser leur erreur...

McMeuh fit volte-face et pila. Il se retrouva immédiatement aveuglé par l'éclat de puissants phares.

– Le Monstre Cornu ! s'écria-t-il en agrippant Bo par la queue pour l'empêcher de charger droit sur lui. Il est déjà de retour avec une nouvelle cargaison de vaches !

– Maintenant vous êtes fichus ! cria T-65.

Pendant que Patrice Patron évacuait les bovins stationnés sur la route et que Grosse-Culotte tentait de récupérer l'arme au milieu de la bouse de vache, le ter-meuh-nator fondit sur eux.

– Je vous avais promis que vous ne m'échapperiez pas !

– Ce vieux tas de ferraille dit vrai, grogna Bo tandis que le transport de vaches lumineux se rapprochait de plus en plus. On ne peut ni avancer ni reculer. Nous sommes piégés !

Chapitre 11

Fusillade souterraine

McMeuh et Bo contemplèrent fixement l'énorme « monstre » qui se tournait pour leur présenter son dos lumineux...

– Vous n'avez nulle part où aller, imbéciles de la F.B.I. ! leur cria T-65 en s'avançant vers eux, l'air mauvais.

Grosse-Culotte le suivait de près, tenant fermement le pistolet à rayons et le bâton de dynamite dans ses mains crasseuses. Patrice Patron venait derrière elle, portant une grosse pelle à la manière d'une batte de base-ball.

Tandis que le panneau commençait à s'ouvrir à l'arrière du transport, Bo prit le sabot du professeur McMeuh entre les siens.

– Ne craignez rien, Professeur, lui dit-elle. Je suis là.

Il lui sourit affectueusement.

– Merci, Bo. Mais je préférerais que nous soyons tous les deux ailleurs !

Avec un cliquetis métallique, la rampe se mit en place le long de la route... et deux silhouettes familières jaillirent du derrière du monstre !

– Pat ! (Le sourire de McMeuh s'étira d'une corne à l'autre.) Et Omar !

– Comment êtes-vous entrés à l'intérieur du monstre ? demanda Bo, stupéfaite.

– Vous vous souvenez de ces voleurs de bétail qui ont failli nous capturer quand nous sommes arrivés ? (Pat brandit un revolver argenté et le pointa vers T-65 et ses sbires.) Nous avons vu qu'ils avaient capturé d'autres vaches et nous avons simplement attendu que le « monstre » les trouve.

Omar acquiesça.

– Et lorsqu'il est arrivé, nous avons maîtrisé cette bonne vieille « face de culotte » de ter-meuh-nator et nous sommes montés dans l'engin.

– À l'attaque ! rugit T-65.

– Si j'étais vous, je m'abstiendrais, lui cria Pat. J'ai avec moi le bazooka à beurre de votre petit copain ter-meuh-nator et je n'ai pas peur de m'en servir !

Mais T-65 l'ignora.

– ÉLI-MEUH-NEZ-LES TOUS !

– Donne-moi ça !

Bo prit l'arme des mains de Pat et ouvrit le feu, inondant leurs agresseurs d'un torrent de beurre gluant et puant.

– Beurk ! s'exclama Grosse-Culotte au moment où ses vêtements se retrouvaient couverts d'une pâte huileuse et malodorante. Ses armes voltigèrent à travers les airs, puis elle glissa et s'écrasa

sur T-65. Celui-ci, à son tour, alla heurter Patrice Patron et tous les deux s'écroulèrent dans une énorme flaque de beurre.

– Joli sauvetage, Pat. (Bo passa le bazooka à Omar pour enlacer son frère.) Mais la prochaine fois, arrive un peu plus tôt !

Pat fit un grand sourire.

– Sans le mini-appareil photo du professeur, nous ne serions pas là du tout. J'ai pris un cliché quand le monstre nous a attaqués et j'ai découvert qu'il avançait sur des roues. J'ai alors deviné qu'il ne mangeait pas les vaches... mais qu'il les transportait !

Soudain, T-65 bondit sur ses sabots arrière et fonça sur ses ennemis avec un hurlement de colère électronique. Omar le repoussa en arrosant de beurre rance son museau mécanique.

Mais Patrice Patron en avait profité pour empoigner une radio.

– Ha, ha ! se moqua-t-il. Je viens d'appeler des renforts. Mes gardes vont vous faire payer ce que vous avez fait !

McMeuh sentit sa gorge se serrer en voyant débarquer vingt soldats des C.I.A. dénués d'anneaunymes.

– Heureusement que nous avons des alliés, annonça tranquillement Pat.

– Ouais, ils sont occupés à forcer la réserve d'armes à l'intérieur… (Le Homard se tourna vers l'ouverture dans le dos du monstre.) Alors, vous les avez, ces armes ? cria-t-il. Vous allez manquer les réjouissances !

Un instant plus tard, une cow-girl et deux cowboys patibulaires descendirent la rampe, à cheval, équipés d'autres armes futuristes. Malgré l'étrangeté de la situation, ils semblaient aussi durs que la pierre, aussi froids que des cactus et plus

méchants que des moustiques armés de mitraillettes. Les gardes de Patrice Patron les virent eux aussi… et s'arrêtèrent en dérapant, avec des meuglements incertains.

– Ce sont… ce sont les légendes de l'Ouest! souffla McMeuh, frappé d'admiration malgré le danger. Buffalo Bill, Calamity Jane…

– … et James le Jessie! continua Bo. (L'homme lui lança un regard noir et elle battit des paupières dans sa direction.) Heu… je veux dire Jesse James!

– C'est exact! lança Pat en souriant. Nous étions dans la mine d'Omar lorsque nous avons entendu des bruits de pas. Nous pensions que c'étaient les C.I.A…

– Mais il s'agissait de mes vieux amis les tireurs! rugit Omar. Ils avaient bien reçu ma lettre, finalement!

– Attaquez-les, imbéciles ! ordonna faiblement Patrice Patron à ses gardes hésitants. Vous êtes toujours deux fois plus nombreux qu'eux, vous allez les écrabouiller !

– On va voir ça, répondit Calamity Jane d'une voix traînante. On a fait le plein d'armes à l'arrière de ce monstro-truc.

Buffalo Bill brandit un gros appareil argenté :

– Ça, c'est un fusil à crème aigre.

– Et j'ai un lance-fromage à tartiner ! annonça fièrement Jesse James.

– Allez, on ne va pas rester là à faire les beaux, mes amis, gronda Omar comme les gardes de Patrice Patron se ruaient vers eux. Ouvrons le feu pour donner une leçon à ces animaux de cirque !

– On est avec toi, le Homard ! tonna Buffalo Bill. Yiii-ha !

– Mets-toi à couvert, Bo ! cria le professeur McMeuh quand les hors-la-loi d'Omar commencèrent à tirer sur les taureaux.

De la crème aigre traversa les airs. Des jets de beurre rance jaillirent comme de l'eau d'un tuyau d'arrosage. Du fromage coulant à la date limite de consommation largement dépassée gicla du canon des armes volées. Les gardes taureaux se retrouvèrent rapidement en train de patiner et de haleter pour reprendre leur souffle tant l'odeur était puissante.

– Yiii-ho ! brailla Calamity Jane. Ils tombent comme des mouches !

McMeuh se tourna vers Pat avec un air joyeux.

– On peut vraiment parler d'un sauvetage légendaire !

– Tu t'es bien débrouillé, frérot, ajouta Bo. (Elle aperçut alors un garde qui s'éloignait en rampant et lui balança une grosse giclée de lait entre les deux yeux.) Et moi, j'ai les pis les plus rapides de l'Ouest !

Mais avec un rugissement de colère, T-65 bondit hors de sa flaque puante et se jeta sur le professeur McMeuh.

– Jamais vous ne nous vaincrez !

Surpris, McMeuh tomba en arrière... après quoi Grosse-Culotte et Patrice Patron lui tombèrent dessus à leur tour.

– Ne tirez pas ! ordonna Pat aux hors-la-loi. Vous pourriez toucher le professeur...

Bo était sur le point de se lancer dans la mêlée pour le secourir, mais Homard la retint par le bras.

– Attention ! cria-t-il.

Bo vit alors un tonneau de bois qui descendait à toute vitesse la paroi escarpée de la caverne. Il rebondissait de plus en plus vite en direction de l'amas de corps, jusqu'à ce que...

BAAAAAM !

Avec un bruit énorme qui résonna à travers toute la caverne, le tonneau alla frapper le derrière robotisé de T-65.

– Urrrk !

Le ter-meuh-nator, dont les fesses crachaient des étincelles, fit un saut périlleux par-dessus McMeuh et heurta Grosse-Culotte et Patrice Patron, qu'il projeta sur les côtés.

– Professeur ! s'écria Pat en aidant son ami à se relever.

– Vous allez bien ? demanda Bo.

– Oh, je ne dirais pas que j'y ai pris des tonneaux de plaisir ! répondit le taureau avec un sourire las. (Il contempla Grosse-Culotte, Patrice et les agents des C.I.A. étendus par terre et recouverts de saleté.) Mais au moins, je suis en meilleur état que ceux-là !

– D'où vient ce tonneau ? demanda Omar.

Il donna un coup de pied dans le bois endommagé... qui se mit à gémir.

– Grands dieux ! s'écria Calamity Jane. Il y a quelque chose dedans !

– Hé ! s'exclama Bo, comme un visage ridé et familier sortait du tonneau. C'est le Vieux Josh !

– C'était le pire du pire de tous les voyages que j'ai faits dans ma vie ! se plaignit le vieil homme. (Il s'extirpa du tonneau en chancelant.) Je me suis caché là-dedans et l'explosion m'a projeté tout en haut de la colline. Puis j'ai commencé à la redescendre en roulant...

– Et vous êtes tombé dans le trou creusé au sol par la dynamite ! réalisa McMeuh. Imaginez un peu ça !

– Aucun d'entre vous n'aura besoin de l'imaginer ! rugit Grosse-Culotte Barmer qui luttait furieusement pour se relever. Je vais faire un autre trou dans la terre ici même... et vous y enterrer tous ! (Elle plongea son bâton de dynamite au milieu des étincelles qui jaillissaient du derrière de T-65 et alluma la mèche.) Mangez-moi ça, maudits malappris !

Et elle lança la dynamite... droit sur McMeuh !

Chapitre 12

Le bon, la brute et le meuh-chant

– Attention ! tonna le professeur.

La tension envahit le corps de Pat tandis que le bâton de dynamite tourbillonnait dans l'air. Tout parut ensuite se dérouler au ralenti.

Omar et ses amis se jetèrent au sol. Bo saisit le Vieux Josh et s'accroupit au-dessus de lui pour le protéger. Avec un rire malveillant, Grosse-Culotte Barmer s'abrita derrière le corps métallique du ter-meuh-nator. Et McMeuh se tourna vers Pat, une expression plus sérieuse que jamais sur le visage.

– Je t'ai toujours dit d'utiliser ta tête. Aujourd'hui, ne me déçois pas !

Le bâton de dynamite grésillant n'était qu'à quelques millimètres lorsque le professeur tour-noya adroitement sur un sabot pour lui donner un délicat coup de queue. L'impact changea la direc-tion de l'explosif... qui fila désormais vers Pat !

– Le monstre ! cria McMeuh.

Pat déglutit, retint sa respiration et croisa les sabots, tout ça à la fois. Et il réussit de justesse à attraper le bâton avec ses cornes. D'un rapide mouvement de tête vers la gauche, il renvoya la dynamite dans les airs.

Et cette fois, elle atterrit pile dans le sas ouvert sur le derrière du monstre !

– Noooooon ! hurla Grosse-Culotte, furieuse.

Le professeur plaqua brusquement Pat et ils s'aplatirent tous les deux au sol.

KA-BOOOOUM !

Il y eut une énorme explosion qui secoua la grotte tout entière... mais le monstre avait contenu les dégâts ! Il brilla d'un éclat rouge et aveuglant pendant quelques instants. De la fumée et de la vapeur jaillirent de l'intérieur. Puis les phares du monstre clignotèrent, son moteur commença à rugir... et il se déplaça par à-coups dans leur direction.

– Debout tout le monde ! ordonna McMeuh en se redressant sur ses sabots.

Le transport de vaches fit une embardée sur le côté et s'écrasa contre la paroi de la caverne. Puis il fit marche arrière à toute vitesse et faillit renverser le Vieux Josh avant de s'écraser dans le mur opposé. Le plafond se mit à trembler et un chœur de meuglements affolés s'éleva bientôt dans toutes les maisons du village souterrain.

– Alerte! (Un nouveau choc força T-65 à se redresser. Des étincelles fusaient toujours hors de sa carcasse.) Le système de pilotage du monstre a été endommagé par l'explosion : il est devenu incontrôlable!

Soudain, les cornes du monstre fendirent l'air enfumé comme des javelots. Elles se plantèrent dans la voûte de la caverne, où des fissures noires et dentelées commencèrent à s'étendre. Puis le monstre déglingué se remit en route, en traversant violemment des rangées de maisonnettes. Des brouettes entières de bovins s'enfuirent dans la confusion pendant que le transport de vaches détruisait tout sur son passage.

Pat fit la grimace.

– C'est la fin des jolies maisons.

– Tu veux dire les jolies meuh-sons, ajouta tristement McMeuh en regardant se disperser les vaches paniquées.

– C'est pas juste ! gémit Patrice Patron, roulé en boule dans sa flaque de beurre. (Des débris se mirent à pleuvoir depuis le plafond et la puissante lampe solaire commença à clignoter.) Tout va de travers !

– Moi je me tire ! annonça Grosse-Culotte en courant vers la sortie la plus proche. Adieu, bande d'abrutis !

– Attrapons-la ! cria Bo.

Pat secoua la tête.

– On ne peut pas, Bo... ils ont besoin de nous ici.

– En effet, admit McMeuh. T-65, vos plans sont ruinés. Nous devons travailler ensemble pour aider ces vaches kidnappées à revenir à la surface.

– Négatif, gronda T-65 en tirant un disque argenté de sous sa cuirasse bosselée. A-a-annulation. A-a-annulation de la mission !

– Non ! cria le professeur.

Mais le ter-meuh-nator, Patrice Patron et ses gardes couverts de beurre se volatilisèrent au cœur d'un nuage de fumée noire.

– Alors là, j'aurai tout vu ! déclara Omar.

– Faux, lui dit Bo. Vous ne nous avez pas vu évacuer des centaines de bovins hors d'une caverne en train de s'écrouler, si ?

– Mais vous allez y assister tout de suite, ajouta McMeuh. (Il se tourna vers Omar et ses hors-la-loi.) Mes amis, on peut compter sur votre aide ?

– Bien sûr ! (Buffalo Bill lui décocha un grand sourire en remontant en selle.) Une fois, j'ai rassemblé un millier de bisons en une seule journée. Comment croyez-vous que j'ai mérité mon nom ?

– Et il n'y a rien que Jane aime plus qu'une calamité ! affirma Calamity Jane.

– Moi, j'ai toujours aimé les vaches, ajouta Jesse James. En rôti, surtout !

– Je vais faire comme si je n'avais pas entendu, répondit McMeuh d'un ton désapprobateur. Très bien, au travail tout le monde ! Avant que la grotte ne s'écroule sur nos têtes !

Les agents de la Fédération des Bovins Intrépides organisèrent l'opération de sauvetage avec une grande efficacité.

Les légendes de l'Ouest furent à la hauteur de leur réputation. Ils restèrent calmes et méthodiques malgré le danger et rassemblèrent le bétail en fuite pour le guider vers les sorties du village souterrain.

Pat et Bo rassurèrent les troupeaux effrayés pour les aider à regagner la surface. Ils s'occupèrent tout spécialement de ceux et celles qui avaient coupé la route de T-65. La vache la plus grosse et la plus âgée fit à Bo un sourire complice. Il ne faisait aucun doute dans l'esprit de celle-ci qu'il s'agissait de l'ancêtre de Madame Ventralait.

– Il ne lui arrivera rien, ni à elle, ni au futur, déclara Bo. Pas avec nous pour les protéger !

Et tandis que les dernières vaches étaient menées en lieu sûr, McMeuh réussit enfin à grimper à l'intérieur du monstre devenu fou pour le désactiver. Lorsque la machine s'arrêta, vidée de toute énergie, le professeur contempla le sillage de destruction qu'elle laissait derrière elle.

Puis le mini-soleil au plafond s'éteignit, plongeant l'immense caverne dans une obscurité glacée. Il ne restait que la faible lumière du Monstre Cornu, qui permit à McMeuh de s'enfuir par un passage latéral... juste au moment où la voûte de la caverne s'effondrait.

Le professeur courut désespérément pendant que le sol tremblait sous ses sabots et que des milliers de tonnes de roche s'écrasaient sur la communauté bovine secrète, ensevelissant toutes traces du plan délirant des C.I.A.

Il retrouva ses amis et les fines gâchettes qui l'attendaient dans la plaine, sous un beau soleil, entourés de bovins reconnaissants aussi loin que portait le regard.

– Professeur! s'écria Pat en le voyant arriver. Vous avez réussi!

Bo courut lui faire un énorme câlin.

– Bien joué, Prof!

Encore haletant, McMeuh leur adressa un sourire fatigué.

– Bien joué également à vous tous!

– Et tout spécialement au Vieux Josh, dit joyeusement Pat. Il a fait aux vaches kidnappées une offre qu'elles ne pouvaient pas refuser...

Le Vieux Josh opina du chapeau.

– J'ai toujours les vingt mille dollars que j'ai gagnés contre Grosse-Culotte, dit-il. Et j'estime qu'une partie de cet argent doit servir à construire un grand refuge pour bovins, un endroit où ces pauvres vaches et leurs veaux pourront vivre en paix le reste de leur existence.

McMeuh paraissait ravi.

– C'est l'idée la plus meuh-gnifique que j'ai jamais entendue !

Omar le Homard fit un pas en avant :

– Et pour être certain que le Vieux Josh n'aura pas d'ennuis, mes amis et moi allons rapporter certains déchets à Dodgem...

Buffalo Bill hocha la tête et déplaça son cheval pour révéler la présence non seulement de Jim Bob et Henry, mais également de Grosse-Culotte Barmer !

– Comment l'avez-vous rattrapée ? demanda McMeuh, surpris.

– Elle était trop grosse pour passer dans les tunnels de sortie, meugla Bo. Elle s'est retrouvée coincée !

Jesse James affichait un sourire féroce :

– Nous nous sommes dit qu'on devrait utiliser un peu plus de dynamite pour la libérer...

– Mais alors votre amie s'est approchée et m'a donné un grand coup de pied aux fesses ! gémit Grosse-Culotte en se frottant le derrière.

– Oh que oui ! rigola Bo. Elle est sortie comme un bouchon hors de sa bouteille !

Omar sourit.

– Eh bien, je crois que moi aussi je ferai sauter le bouchon d'une ou deux bouteilles ce soir, histoire de célébrer mes retrouvailles avec ma mine !

– Ça va être la fête ! s'exclama Calamity Jane.

– Yiii-ha ! tonna Buffalo Bill.

– Dès que les gens sauront que le monstre n'est plus là et qu'on leur avait volé leurs terres par la ruse, ils voudront tous fêter ça ! ajouta le Vieux Josh. Toute la région ne tardera pas à se remplir à nouveau.

– Comme cela aurait toujours dû être, dit Pat à mi-voix. L'histoire a repris son cours normal.

– Allez les amis, lança Omar à son gang. Emmenons les prisonniers voir le shérif de Dodgem. Ensuite, fiesta !

– Buvez une limonade à ma santé, le Homard ! lui cria Bo.

Il fronça les sourcils.

– Alors tu avais retenu mon nom depuis le début ?

– Bien sûr ! (Elle lui fit un grand sourire.) Comment pourrais-je oublier un nom comme Orevoir le Homard ?

– C'est Omar ! Grrr... (Omar abaissa son chapeau sur ses yeux et éperonna son cheval.) ADIEU !

– Au revoir, vous tous ! cria McMeuh.

Il contempla le Homard et les légendes de l'Ouest qui s'éloignaient dans la plaine, tirant Henry, Jim Bob et Grosse-Culotte derrière eux. Bientôt, ils ne furent plus que des silhouettes se détachant sur le bleu du ciel. Puis ils disparurent.

– Il est temps pour nous d'y aller également, déclara McMeuh. (Il donna une accolade au Vieux Josh et serra les sabots de l'ancêtre de Madame Ventralait.) Profitez bien de votre liberté.

La grande vache se contenta de lui faire un clin d'œil, suivi d'un hochement de tête.

McMeuh, Pat et Bo reprirent le chemin de l'Étable Temporelle.

Le trajet demanda plusieurs heures et quelques détours aux agents de la F.B.I. Mais le voyage dans l'Étable Temporelle pour revenir à leur ferme leur prit moins d'une seconde.

– Nous voilà revenus chez nous et à notre époque, se félicita McMeuh. Fais chauffer le thé, Pat !

Pat se dirigea vers la bouilloire... puis s'immobilisa en entendant une voix qui chantait horriblement faux à l'extérieur.

– C'est Bessie Barmer ! réalisa-t-il en se renfrognant. J'avais oublié : elle a trouvé de l'or, vous vous souvenez ? Elle va vendre la ferme !

Bo soupira et hocha la tête.

– Peut-être qu'on devrait repartir vers le sanctuaire du Vieux Josh ?

– Inutile ! lança la voix bourrue de Yak dans leur dos.

Le directeur de la F.B.I. fit son entrée dans l'Étable Temporelle.

– Mon petit Yakky ! s'écria Bo en se précipitant pour lui faire un gros bisou sur le nez. Que faites-vous ici ?

Yak se frotta le museau en s'efforçant de ne pas rougir.

– Je l'escorte, elle, expliqua-t-il en désignant quelqu'un derrière lui.

Madame Ventralait se tenait là, souriante !

McMeuh et Pat s'agenouillèrent et Bo improvisa une révérence maladroite.

– Oh, je vous en prie, relevez-vous ! dit Madame Ventralait. Je voulais simplement vous féliciter en personne pour votre travail remarquable... et pour avoir sauvé ma lointaine ancêtre.

– Ce fut un honneur, lui assura McMeuh.

– Elle était cool ! s'enthousiasma Bo. Autant qu'une vieille vache ridée puisse l'être, en tout cas !

– Tais-toi, Bo ! siffla Pat.

– De plus, nous savions votre inquiétude à l'idée que Bessie vende la ferme, ajouta rapidement Yak.

J'ai donc vérifié mes livres d'histoire du vingt-et-unième siècle et je suis venu vous annoncer la bonne nouvelle...

Madame Ventralait acquiesça.

– Bessie Barmer n'a absolument pas trouvé d'or.

– Ah non ? (Pat était surpris.) Mais j'ai vu quelque chose de brillant dans sa main...

– Pas d'inquiétude, soldat. (Yak lança à McMeuh un petit morceau de métal scintillant.) C'était une pépite de ce truc.

Le professeur l'attrapa et l'étudia, puis sourit.

– C'est de la pyrite de fer, annonça-t-il.

Bo renifla.

– De la quoi ?

– De la pyrite, répéta McMeuh. Cela ressemble un peu à de l'or, mais ça n'en est pas. On l'appelle couramment... l'or des fous !

– Oh, quel dommage ! se moqua Pat. Lorsqu'elle va découvrir ça...

À cet instant, un cri de désespoir se fit entendre à l'extérieur :

– AAAAAAHHHHHHHH !

– Je crois qu'elle vient de comprendre, pouffa Bo. L'or des fous, c'est un nom approprié ! Car dans le genre « fou », difficile de faire pire que Bessie !

– Tu l'as dit, approuva McMeuh. Finalement, la ferme ne risque rien.

– De même que le futur. Grâce à vous tous, déclara Madame Ventralait.

– Trinquons en l'honneur de ces bonnes nouvelles ! s'exclama Pat en ouvrant une boîte de sachets de thé.

– Et en l'honneur de nouvelles missions super excitantes ! ajouta Bo.

Yak sourit.

– Je ne doute pas que vous en vivrez encore beaucoup d'autres.

– C'est sûr, répondit joyeusement McMeuh. Car lorsqu'il s'agit de missions super excitantes, quels que soient le lieu ou l'époque, la F.B.I. trouve toujours le bon filon !

Les aventures de la F.B.I.

1 - Ter-meuh-nator
2 - La malédiction de la meuh-mie
3 - Les meuh-stères romains
4 - Les meuh-stères de l'Ouest